D1202689

AEROBOX

Francisco Díaz Portillo

LIBSA

Dedico este libro a mi padre,
al que siempre llevaré en mi corazón,
y a mis hijos, Paco y Miguel.

© 2007, Editorial LIBSA
c/ San Rafael, 4
28108 Alcobendas. Madrid
Tel. (34) 91 657 25 80
Fax (34) 91 657 25 83
e-mail: libsa@libsa.es
www.libsa.es

ISBN: 978-84-662-1462-9

COLABORACIÓN EN TEXTOS: Francisco Díaz Portillo
EDICIÓN: equipo editorial LIBSA
DISEÑO DE CUBIERTA: equipo de diseño LIBSA
MAQUETACIÓN: equipo de maquetación LIBSA
DOCUMENTACIÓN Y FOTOGRAFÍAS: Antonio Beas y archivo LIBSA
ESTILISMO: Francisco Díaz Portillo e Isabel Martínez

Queda prohibida, salvo excepción prevista en la ley, cualquier forma de reproducción,
distribución, comunicación pública y transformación de esta obra
sin contar con la autorización de los titulares de la propiedad intelectual.
La infracción de los derechos mencionados puede ser constitutiva de delito
contra la propiedad intelectual (art. 270 y ss. del Código Penal).
El Centro Español de Derechos Reprográficos vela
por el respeto de los citados derechos.

Gracias a Isabel, por su ayuda en la realización de este libro; a Luis Báguenas,
por su confianza en mí durante estos años; a Paolo Evangelista, por ser mi
mentor para los programas de Aerobox y a todos aquellos practicantes
del Aerobox que durante todos estos años han creído en este trabajo
y en la forma de hacer este deporte tan atractivo y tan divertido.

Los editores agradecen especialmente su colaboración a AEMA TRIMSPORT, por el préstamo del vestuario y material deportivo
específico para la realización de las sesiones fotográficas.

CONTENIDO

INTRODUCCIÓN AL AEROBOX

¿QUÉ ES EL AEROBOX?

El Aerobox es un programa basado en varios deportes que, todos unidos, nos dan una metamorfosis de diversión y juego con el cual podremos ayudar a conseguir una plena transformación de nuestro ser, ya que lo que siempre queremos a la hora de hacer un deporte es trabajar bien, cansarnos un poco y también divertirnos.

El Aerobox viene de la práctica del Aeróbic, las Artes Marciales, el Boxeo, la Defensa Personal y nuestra imaginación. En él se utiliza un equipamiento diferente al típico de los deportes de combate, ya que no nos enfrentaremos a ningún oponente físicamente, pero sí nos lo imaginaremos.

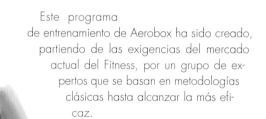

Este programa de entrenamiento de Aerobox ha sido creado, partiendo de las exigencias del mercado actual del Fitness, por un grupo de expertos que se basan en metodologías clásicas hasta alcanzar la más eficaz.

Utilizando nuestra máxima energía, reduciremos al mínimo el riesgo de lesión al no haber contacto con un contrario, como ya hemos mencionado. Tendremos una aproximación a la espiritualidad de las Artes Marciales, la cual entrenará nuestra mente y nos enseñará a saber defendernos.

El secreto de que esta práctica tenga tanto éxito es que combina elementos que mezclan la seriedad y supuesta agresividad, con lo divertido que resultan las clases de Aeróbic. Este método proporciona al aficionado todas las directrices e instrumentos necesarios para afrontar con éxito y seguridad la práctica efectiva del Aerobox.

AEROBOX: LA SUBLIMACIÓN DE LA AGRESIVIDAD

El programa propuesto se basa en los fundamentos del juego de simulación, en el cual los practicantes, a través de la globalidad de la comunicación, experimentan y comparten una correcta gestión de las técnicas de puños y patadas junto con los movimientos aeróbicos.

En el juego de simulación intervienen múltiples factores de la personalidad humana que, gracias a un marco lúdico, pueden expresarse superando los condicionantes de los mecanismos de defensa.

Como además nos encontramos en un ambiente protegido, se ve incrementado no sólo el aspecto lúdico, sino también la libertad de expresión, la comunicación interpersonal, así como la tendencia a la superación de las tensiones anteriores.

Componentes de la personalidad, entre ellos la agresividad, que nos pueden incitar a crear leves o graves problemas de «gestos», encuentran en el Aerobox un escenario privilegiado en el cual evidenciar los puntos débiles y los fuertes de la misma persona.

A través de la simulación y la dinámica, se vinculan de forma socialmente aceptable puñetazos desagradables o «aliviadores» y obtenemos la posibilidad de reelaborar zonas oscuras de nuestro ser.

Desde este momento, la comunicación que se dirige a través del canal no verbal permite superar las heridas típicas de nuestra cultura, dentro del cuerpo y la psique, restituyendo en el hombre la plenitud de la propia imagen, que es el puente entre la interioridad y la realidad que le rodea.

¿QUIÉN PUEDE PRACTICAR AEROBOX?

Hoy en día la forma de hacer un deporte, cualquier deporte, ha cambiado los conceptos ancestrales. Cuando este autor comenzó a practicar e iba a un club o a un polideportivo a entrenar, había poca demanda de actividades y cuando se entrenaba, se hacía muy duro, no había ni siquiera control sobre qué ejercicios eran buenos o cómo se deberían hacer bien. Dónde elegir era casi imposible por la escasez de deportes colectivos.

Hoy en día todo ha cambiado a mejor: el control sobre los deportes, los reciclajes de cualquier tendencia y las ventajas sobre el deportista, etc. han mejorado como de la noche a la mañana. Cada temporada surgen tendencias nuevas que van apareciendo con la demanda del usuario y del deportista. Se entremezclan métodos, se cambian nombres de deportes que han existido siempre, pero con ese cambio, se encuentra otra población de emprendedores dispuestos a sudar la camiseta.

Centrándonos ya en nuestro trabajo, todo lo dicho anteriormente viene a decirnos que el Aerobox resulta de la mezcla de dos deportes diferentes, pero bien estructurados y conjuntados, sacamos las ventajas de lo divertido de uno y la defensa y mentalidad del otro. ¿Quién lo puede trabajar? ¡Todos! Claro está, el estado físico tiene que soportar al menos la capacidad de movilidad. Sólo se necesitan un par de cosas: ¡muchas ganas y sentido de la música!

Cuando nos planteamos hacer un ejercicio, lo mas difícil es empezar, dado que debemos crear un hábito con la finalidad de desarrollar una constancia, lo cual será la llave de nuestro éxito. Es por ello que el Aerobox, al no tener movimientos complicados, es propicio a la creación de coreografías a nuestro gusto.

El nivel de una sesión la pone el propio practicante, bien si quiere moverse en balanceos, como el boxeador en un combate, o con movimientos con pasos a ras del suelo. Al igual que el corredor de marcha, que siempre debe tener un pie en el suelo, o el corredor de fondo, que tiene un momento en que

los dos pies están en el aire. Al ser una actividad de un ritmo bastante elevado, mejorará nuestra condición física. Incrementa la fuerza, resistencia, flexibilidad, coordinación, equilibrio y velocidad de reacción física y mental, por lo que puede ser practicado por personas de cualquier edad.

PRINCIPIOS EN
AEROBOX

ANATOMÍA

El conocimiento de la anatomía es muy complejo, por lo tanto no nos vamos a poner a estudiarla en profundidad, igual que haremos posteriormente con un repaso a las posibles lesiones y cómo poder evitarlas. Veremos de una manera sencilla qué partes del cuerpo trabajaremos, así tendremos algo de conocimiento para cuando realicemos el calentamiento, el trabajo en la práctica y los estiramientos.

A continuación veremos tres dibujos en los que se muestran las partes que trabajaremos con las técnicas a lo largo de la práctica posterior. Tengamos en cuenta que al trabajar músculos grandes, implicamos a otros más pequeños, pero grosso modo, he aquí la referencia de los que serán más utilizados en nuestra actividad.

¿QUÉ MÚSCULOS TRABAJAMOS?

Como en todo deporte de tipo aeróbico, el músculo más utilizado es el corazón. Practicar Aerobox es beneficioso para mejorar la salud cardiovascular, siempre que se haga dentro de los propios límites, sin someter al corazón a mayor esfuerzo que el que puede superar.

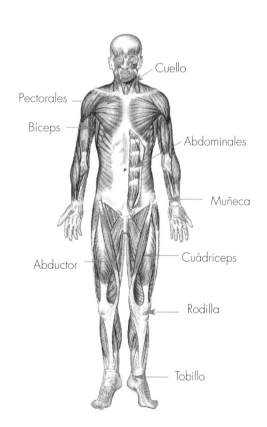

Cuello

Pectorales

Bíceps

Abdominales

Muñeca

Cuádriceps

Abductor

Rodilla

Tobillo

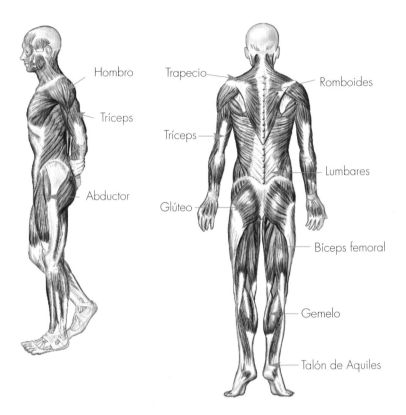

Hombro

Tríceps

Abductor

Trapecio

Tríceps

Glúteo

Romboides

Lumbares

Bíceps femoral

Gemelo

Talón de Aquiles

Al trabajar toda la musculatura general, desde la cabeza hasta los pies, el Aerobox es un espléndido deporte para tonificar el cuerpo y dar mayor armonía a la silueta, quemando grasa donde sobra y endureciendo las zonas que pudieran presentarse más flácidas.

DEMANDA DEL USUARIO

Tal y como hemos mencionado en la introducción, el programa de Aerobox ha surgido de las demandas de los asiduos a los centros de Fitness. Estas demandas generalmente son:

- Cansarse y sudar.
- Mejorar la propia imagen.
- Sentirse bien.

Respecto a cansarse y sudar, quien no se haya encontrado con esta realidad, que levante la mano. El deportista tipo identifica la gimnasia con el esfuerzo físico. Por otra parte, en un pasado no muy remoto, la educación física y la gimnasia eran una especie de preparación militar, por lo tanto, no podemos pretender ahora borrar en pocos años siglos de «doblar brazos».

Vamos a encontrar dos componentes añadidos cuando practicamos una actividad, que son los resultados orgánicos y los musculares. De igual forma, veremos mejoradas las funciones de los pulmones y el corazón y ganaremos en tono muscular y en una mayor flexibilidad.

Mejorar la propia imagen exterior significa también mejorar nuestra propia relación con los demás, así como la percepción interna que tenemos de nuestro ser. No es necesario explicar lo importante que es para nosotros una pequeña mejora física. Hoy en día y según estudios de la Organización Mundial de la Salud, existe un gran número de personas obesas y sabemos los problemas que eso conlleva. Los beneficios de mantener nuestra estructura, nuestro caparazón, nuestro cuerpo en un estado más saludable contrarrestarán esos problemas que también nos afectan psicológicamente.

En cuanto al concepto de «sentirse bien», es quizás el aspecto menos explícitamente solicitado por los usuarios, pero sí es en lo que nosotros debemos trabajar con más cuidado. El conseguir que quien practique Aerobox esté bien es nuestra finalidad, casi diríamos nuestra misión. Por eso siempre sentiremos los beneficios orgánicos y musculares, aumentando la autoestima en nosotros mismos.

LA INDUMENTARIA

A la hora de practicar un deporte debemos tener claro qué vamos hacer y cómo lo vamos hacer. Cada actividad deportiva tiene una respuesta directa y diferente sobre nuestro sistema neurológico y muscular. A lo largo de tantos años, la evolución en cómo vestirse para el deporte que se vaya a hacer ha ido mejorando de cara al deportista y así le salvaguarda de lesiones inoportunas.

Algunos dudan de la importancia de la ropa para hacer un deporte, pero la tiene y mucha. Ya no hablamos de que tengamos que ir «muy guapos», no, sino de que los materiales que utilicemos tengan las prestaciones necesarias para que las articulaciones y musculatura sufran lo menos posible. Del mismo modo que no vamos a correr 100 metros lisos descalzos, ni vamos a jugar al Fútbol con zapatillas de baño, en Aerobox buscaremos prendas acordes.

Si nosotros vamos a practicar ejercicios aeróbicos donde utilizamos puños y piernas, lo que necesitaremos será ropa que transpire bien el sudor, como una camiseta y un pantalón de un material fino y holgado, y zapatillas que refuercen nuestros talones y nos amortigüen los saltos, con cámara de aire. Aparte de esto, seguiremos los pasos de la simulación de las Artes Marciales o el Boxeo, utilizando ropa con la cual nos identifiquemos y nos sintamos cómodos disfrutando de la sesión.

DIETA PARA UNA BUENA PRÁCTICA

La buena base para cualquier deporte es tener una alimentación sana y equilibrada, desde aquí no vamos a deciros cómo debéis alimentaros, pero sí os orientaremos a seguir una pauta alimenticia con la que poder desarrollar un buen ejercicio físico con un mejorable rendimiento diario. La práctica del Aerobox conlleva un gasto calórico y energético muy elevado, más adelante veremos el consumo de calorías de varios deportes, pero en este gastaremos unas 700 u 800 calorías en una hora de sesión; ese consumo está controlado y comprobado personal-

ESTRUCTURA
DE LA PRÁCTICA

PRÁCTICA CONTINUA

En la lección continua del Aerobox, están presentes las siguientes fases:

Calentamiento: 10´
Fase aeróbica: 35´ ó 40´
- Trabajo de brazos (técnica de puños)
- Trabajo de piernas (técnica de patadas)
- Combinaciones
- Movimientos aeróbicos

Bajada de pulsaciones: 5´
Tonificación: 5´
Estiramientos: 5´

La denominación de una práctica continua se refiere a una coreografía combinada con una serie de técnicas y movimientos aeróbicos adaptados al ritmo musical. La música es continua en toda la práctica, lógicamente van cambiando los temas, pero sin cortes entre canción y canción. Es además la misma que se pueda utilizar en una práctica de Aeróbic con muchos fragmentos musicales encadenados y en 32 tiempos y, al igual que en el Aeróbic, las sesiones terminan con un resultado final. En Aerobox ya tenemos unas combinaciones que iremos desglosando e individualizando hasta alcanzar ese resultado. Pensemos en unas combinaciones encadenadas mezclando los dos componentes en los cuales se basa el Aerobox; vamos a verlo con este ejemplo:

Ejemplo de una sesión:

(A) Directo (Jab 1)*
(B) Directo (Cross 2)
(C) Salto hacia atrás
(D) Patada Frontal trasera (F)*
(E) Correr en el sitio ocho tiempos

La secuencia en imágenes sería así:

Posición de
guardia (2)

Directo
(Jab 1)

1

2

Directo
(Cross 2)

4

Elevación de rodilla
trasera

5

*(Véanse los nú-
meros de puños y
letras de patadas
en los capítulos de
técnicas de puños
y patadas).

3

Salto atrás

Correr

Patada (F)
Extensión
de pierna

Posición de
guardia (2)

6

10

9

8

7

Correr

Recogida de
rodilla

Al principio, es conveniente hacer los ejercicios ante el espejo de frente y de perfil.

Esta es una coreografía que hemos preparado antes del inicio de la sesión para después empezar a trabajarla. Si la hiciésemos seguida tal y como aparece, nos duraría 30 segundos, pero lo que nos interesa es alcanzar ese ritmo cardiaco intenso y perfeccionar los movimientos a través de la práctica. Lo que haremos es ir avanzando paso a paso, técnica a técnica y desarrollar, de ese modo, un alargamiento de la sesión de trabajo hasta alcanzar el resultado final. Veamos el ejemplo:

En la sesiones vamos hacer ocho directos (1) con la guardia derecha (2) ** y ocho directos (1) con la guardia izquierda. Empezamos con 8, 7, 6, 5, 4, 3, 2, 1, directos y cambio de guardia y repetimos lo mismo, siempre, claro está, al ritmo de la música. Iremos bajando a cuatro directos con cada guardia y llegando al último con dos directos con cada guardia hasta completar las cuentas de 32***.

Una vez explicada una técnica, pasaremos a la siguiente, que sería directo (2), seguimos las mismas cuentas que la anterior: 8, 4, 2. Unimos la primera y la segunda, directo (1), directo (2) seguidos, otras ocho veces a derecha e izquierda (8, 4, 2). luego los dos saltos atrás, la patada frontal y correr en el sitio. Ya tenemos todas las técnicas bien explicadas y las uniremos como una suma:

(A): (8 + 8) x 1 / (4 + 4) x 2 / (2 + 2) x 4, (B), (A + B), (C), (A + B + C) con el mismo número de repeticiones: 8, 4, 2, y así sucesivamente todas y cada una de las combinaciones hasta el resultado final.

Este formato de sesión tienen la ventaja de que para principiantes se pueden repetir las técnicas cuantas veces se necesite hasta alcanzar un óptimo resultado, porque lo importante es seguir siempre el ritmo musical y llegar así a alcanzar el trabajo aeróbico.

** (Véase en el capítulo sobre las distintas posiciones).
*** (Véase en el capítulo sobre la música).

ESTUDIO DE LAS DIFERENTES PARTES DE LA PRÁCTICA

El calentamiento es una fase fundamental de la sesión en cuanto a:
- Preparación de la parte de trabajo más intensa.
- Aumento de la llegada de sangre a los músculos.
- Mayor elasticidad de los músculos.
- Preparación de las principales articulaciones para el esfuerzo.
- Incremento de la temperatura corporal y muscular.
- Activación de los sistemas neuromusculares y cardiorrespiratorios.
- Entrada en el *feeling* (sensaciones positivas) de la sesión.

La primera fase de la sesión está generalmente muy infravalorada, pero recordemos que esta fase ayuda a preparar al organismo para ejecutar la rutina o bien los ejercicios más intensos, incrementando la flexibilidad, elevando las pulsaciones, aumentando la temperatura corporal y por lo tanto facilitando el deslizamiento de las fibras musculares optimizando el rendimiento muscular.

En una práctica de Aerobox es fundamental entrar también con el «espíritu» adecuado que se puede definir como «alegremente combativo», facilitando así el juego de la simulación.

El calentamiento está formado por un equilibrio entre movimientos rítmicos y estiramiento estático. Podemos trabajar dos clases de calentamientos: el genérico y el específico. Veámoslos.

Calentamiento genérico

En esta práctica vamos a incluir los ejercicios que soliciten la mayoría de los grupos musculares (pasos en el sitio, elevaciones de hombros, giros de hombros, extensión y flexión de los brazos, elevaciones de rodillas, sentadillas, aperturas, etc.) trabajaremos cualquier tipo de movimiento que implique al cuerpo en general, realizándolos con mucho control y sin rebotes ni inercias. Se trata de practicar un deporte divertido y liberador sin arriesgarnos a padecer ninguna lesión derivada de una mala práctica.

Zona lumbar

MOVIMIENTO PÉLVICO

1 Con las piernas abiertas, las rodillas flexionadas y las manos encima de los muslos, hacemos un balanceo pélvico bajando la zona lumbar y subiéndola durante 10 repeticiones.

Basculando la zona lumbar hacia abajo

Basculando hacia arriba

Con este movimiento estamos calentando la zona de la espalda.

Basculando de nuevo hacia abajo

GIRO DEL TRONCO OBLICUO

2 Movemos a ambos lados el tronco para el calentamiento del oblicuo, empujamos hacia ambos lados sin mucha presión, manteniendo las piernas separadas y sin mover la parte baja en los giros. Son 10 repeticiones.

Vista frontal del giro oblicuo

Giro oblicuo con empuje al lado

Hombros

ELEVACIÓN DE HOMBROS

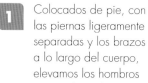

1 Colocados de pie, con las piernas ligeramente separadas y los brazos a lo largo del cuerpo, elevamos los hombros rectos y los volvemos a bajar hasta alcanzar de nuevo la posición inicial.

Posición inicial

Elevación

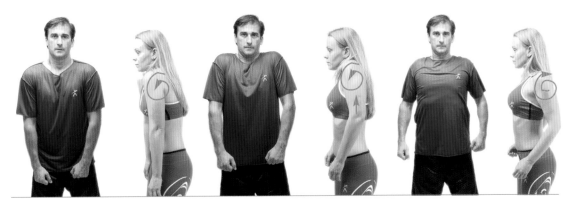

Hombro hacia delante   Giro hacia arriba   Giro hacia atrás

2 GIROS DE HOMBROS

Se pueden hacer los movimientos de hombros estáticos o en paso a paso. Elevamos los hombros y los bajamos sin forzar el movimiento, repitiendo 10 ó 15 elevaciones. Para los giros de hombros hacia atrás, trazaremos círculos grandes con los hombros. Esta zona es una de las que también sufrirán durante la práctica por la extensión de los golpes de puño, así que conviene mantenerla fuerte y elástica.

Posición final

RECUERDA

Todos los ejercicios de hombros son aconsejables cuando se practica cualquier deporte e incluso aunque no se sea aficionado a ninguno. En la vida cotidiana, esta zona del cuerpo suele estar muy bloqueada y es fácil que existan pequeñas lesiones y molestias ante actividades como el uso de ordenadores o la mala corrección postural. En general, es una zona que soporta mucha tensión diaria y que conviene reforzar.

EXTENSIÓN DE BRAZOS HACIA ARRIBA

3 De pie, con las piernas separadas y los brazos levantados, ejercemos una flexión y extensión a la altura de los codos.

Brazos flexionados

Extensión hacia arriba

EXTENSIÓN DE BRAZOS AL FRENTE

4 Con los brazos flexionados en ángulo y abiertos, elevamos y bajamos para efectuar el calentamiento de la cabeza del deltoides durante 10 ó 15 repeticiones.

Brazos flexionados

Los brazos estarán perpendiculares al suelo en flexión, estirando al frente y flexionando de 10 a 15 repeticiones.

Brazos al frente

GIROS DE BRAZOS HACIA ARRIBA

5 Hacemos un movimiento circular con los brazos de dentro hacia fuera para intensificar más el movimiento del hombro. Realizamos de 10 a 15 repeticiones.

1

Posición inicial

2

Hacemos giros en abanico con mucha amplitud para calentar bien los hombros y sobre todo la parte del manguito rotador, ya que si se produce es una lesión muy dolorosa cuando se calienta poco y se fuerza demasiado.

Cruzando los brazos

RECUERDA

Los movimientos de los giros han de estar controlados y no hacerlos demasiado rápido. Abrir los brazos a los laterales sin forzar hacia atrás. Que sea un movimiento natural.

4

Abriendo en cruz

3

Girando hacia arriba

5

Bajando los brazos

Bíceps

FLEXIÓN Y EXTENSIÓN DE BRAZOS

1 Con los brazos pegados al cuerpo, efectuamos una flexión y extensión de brazos, calentando la articulación del codo y del bíceps. Haremos 15 ó 20 repeticiones.

Posición inicial

Posición final

Flexión del brazo

Tríceps

EXTENSIÓN Y FLEXIÓN DE BRAZOS

1 Con los brazos en cruz, flexionamos los brazos hacia dentro, haciendo un balanceo de fuera adentro para calentar el tríceps y la articulación del codo durante 15 ó 20 repeticiones. En los movimientos mantendremos siempre una tensión dinámica.

Brazos en cruz

Flexión hacia dentro

Repetición de la sesión

Muslos

ELEVACIÓN DE RODILLA FRONTAL

1 Elevamos la rodilla hacia el pecho y simultáneamente, hacemos movimientos con el brazo contrario llevando el codo a la rodilla.

Con estos movimientos empezamos a calentar las piernas, sobre todo la articulación de la cabeza del fémur, el cuádriceps y las rodillas.

Posición inicial

Trabajaremos seguidas o alternas 10 repeticiones con cada pierna.

Elevación de rodilla

SQUAT O SENTADILLAS. FLEXIÓN DE CADERAS Y RODILLAS

2 Con este ejercicio bombeamos más sangre a las piernas con el fin de calentar las extremidades inferiores, ya que por su peso y trabajo de las técnicas son las que más esfuerzo van a realizar en toda la práctica, y así evitaremos calambres y tirones. Trabajaremos directamente sobre el cuádriceps y el glúteo.

Flexión de
cadera y rodillas

Posición inicial

A la hora de bajar, primero intentaremos flexionar la cadera llevándola hacia atrás, imaginando que nos sentamos en una silla, bajando hasta 90° y evitando llevar las rodillas hacia delante, de lo contrario sufrirán las articulaciones. Haremos de 15 a 20 repeticiones.

EJERCICIO CORRECTO

A la izquierda puede verse cómo la rodilla no debe pasar de la vertical, tal y como se señala con la mano.

EJERCICIO INCORRECTO

En la foto de la derecha se puede apreciar el error al pasar la
rodilla de la vertical sobrepasando de la señal de la mano.

Gemelos

ELEVACIÓN DEL TALÓN

Durante la práctica vamos a notar estas zonas del
cuerpo que se sobrecargarán por el clásico
movimiento pugilístico, ya que todo el trabajo se
realiza sobre las puntas de los pies. Calentaremos
bien esta zona de los gemelos.

Elevación
del talón

Posición inicial

 Con las piernas separadas y flexionadas, echamos el peso sobre
el pie que va a trabajar y elevamos el talón con un movimiento
rítmico. Haremos 10 ó 15 repeticiones con cada pie.

Tibial

ELEVACIÓN DE LA PUNTA DEL PIE

 Al igual que en el movimiento del gemelo, ahora elevaremos la punta del pie sin mover demasiado el resto de la pierna, haciendo de 10 a 15 repeticiones.

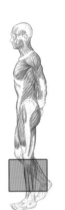

Posición inicial con las rodillas separadas

Elevación de la punta del pie

Tenemos que cuidar bien la articulación del pie ya que todo el peso recae sobre el tendón de Aquiles y el tobillo. Muy importante utilizar un buen calzado deportivo para amortiguar los impactos.

Calentamiento específico

Aquí trabajaremos aquellos ejercicios que se desarrollarán en la práctica, como directos controlados y muy suaves, ganchos, uppercut, giros de cintura, esquivas, rotación de cadera, patadas muy bajas o elevación de piernas. En definitiva, que el calentamiento lo realizamos con todas las técnicas que vayamos a emplear en la sesión.

Puños

DIRECTOS

1 Elevaremos el talón inclinando a un lado y al otro cuando trabajemos con el directo.

Posición de guardia 1

Directo izquierdo

Para hacer el calentamiento del brazo, hombro, codo, bíceps, tríceps y trapecio, realizaremos puñetazos al frente para ir acostumbrándonos a la realización de la técnica.

Directo derecho

Haremos movimientos de balanceo elevando el talón para cada lado del golpeo y vamos a trabajar con directos alternos al frente, soltando suavemente el brazo, haciendo hasta completar las 16 repeticiones. Mantendremos siempre la guardia durante todo el movimiento.

Posición de guardia 1

Gancho

GANCHOS

1 Hacemos los mismos movimientos de balanceo que en el grupo anterior, pero con la técnica de gancho, realizando un pequeño giro de cadera para aprovechar la fuerza del cuerpo durante 16 repeticiones.

Debemos girar la cadera al tiempo que
efectuamos el golpeo.

Gancho en
posición 1

UPPERCUT O ASCENDENTE

1 Al tiempo que hacemos el balanceo,
bajamos el cuerpo flexionando las rodillas
para imprimir más pegada al mentón al subir
el puño con el cuerpo simultáneamente.

Posición inicial

Empujamos con la cadera hacia delante
y hacia arriba, alternando los lados
hasta alcanzar 16 repeticiones.

Uppercut

Cintura o zona media

ESQUIVAS

1 Estos movimientos que simulamos sobre la esquiva de un posible golpe directo de puño nos van iniciando en el calentamiento de la zona media de la espalda, lumbar, oblicuo y abdominal.

Posición inicial

Bajada del cuerpo

Elevación del tronco

Cuando se esquiva es muy importante no trabajar sólo con la espalda ni bajarla mucho, sino que la acompañaremos con una ligera flexión de rodillas, alternando el movimiento superior e inferior. Al subir no llevaremos la espalda hacia atrás. Haremos 16 repeticiones a un lado y al otro.

GIRO DE TRONCO A LOS LADOS

2 Es un movimiento de rotación del cuerpo sobre las piernas, que irán acompañando al cuerpo con suaves giros. Mantendremos las rodillas semiflexionadas y siempre girando con las puntas de los pies, como si quisiéramos ver las paredes laterales. Haremos 16 repeticiones alternando lado con lado.

Posición inicial

Giro de tronco

Giro de tronco

Piernas

ELEVACIÓN DE RODILLA FRONTAL

1 Elevaremos la rodilla hacia el pecho mientras, simultáneamente, hacemos movimientos con los dos brazos simulando que agarramos el cuerpo del contrario y chocamos las manos contra las rodillas.

Agarre

Con estos movimientos empezamos a calentar las piernas, sobre todo la articulación de la cadera, cuádriceps y rodillas. Trabajaremos, alternas o seguidas, 10 repeticiones con cada una.

Golpe de rodilla izquierda

Golpe de rodilla derecha

FLEXIÓN DE CADERAS Y RODILLAS

2 Hay que trabajar bien el calentamiento de las piernas ya que durante toda la práctica se cargarán de tensión y puedes sufrir calambres musculares.

Flexión de caderas
y rodillas

Posición inicial

Este ejercicio está presente en el calentamiento genérico de página 22. Tanto en el calentamiento genérico como en el específico, se pueden aumentar las repeticiones sin ningún problema, sólo debemos saber que el cuerpo tiene que estar bien preparado para una buena práctica.

Fase aeróbica o parte central de la práctica

Esta fase de la sesión la compone el trabajo aeróbico en sí mismo, ya explicado anteriormente en la práctica continua. De hecho, durante esta fase de la sesión, nuestro «ratio cardiaco» (el estrés de un programa de ejercicio cardiovascular está definido por la intensidad, el porcentaje de nuestra frecuencia cardiaca, la duración de las sesiones y la frecuencia semanal) debe estar entre el 60% y el 80% de la Teórica Frecuencia Cardiaca Máxima (T.F.C.M.)

Si queremos aprovechar más nuestro rendimiento, podemos obtener nuestra Frecuencia Cardiaca Máxima y de esta forma iremos mejorando el ritmo y sabiendo en qué momentos podemos quemar más grasa con ese aumento de las pulsaciones.

Para calcular la Frecuencia Cardiaca Máxima (F.C.M.) restaremos al número patrón mundialmente conocido (220), la edad que tengamos. Por ejemplo, si tenemos 35 años, 220 - 35 = 185, luego nuestra F.C.M. será 185. Para calcular la Frecuencia Cardiaca Basal o de reposo (F.C.B.), tenemos que tomarnos las pulsaciones en reposo, a ser posible sentados aún en la cama. Se pueden tomar las pulsaciones en la muñeca o en el cuello y suele ser una cifra estándar que se aproxima a las 60 pulsaciones por minuto.

La Frecuencia Cardiaca de Reserva (F.C.R.) es la que nos indica el rango en el que debemos trabajar deportivamente. Se calcula restando a la Frecuencia Cardiaca Máxima la Frecuencia Cardiaca Basal: F.C.R = F.C.M - F.C.B. A este resultado se le multiplicará el porcentaje del 60 u 80% (0,6 y 0,8) de la Teórica Frecuencia Cardiaca Máxima que comentábamos al principio y, finalmente, a ese número se le sumará la Frecuencia Cardiaca Basal. El resultado serán las pulsaciones que no debemos sobrepasar durante nuestro ejercicio.

Como ejemplo, vamos a hacer las cuentas teniendo un supuesto de un individuo de 35 años con 53 pulsaciones por minuto en reposo y que desea trabajar al 80%.

F.C.M. = 220 − 35 años = 185

F.C.B. = 53 pulsaciones/minuto

F.C.R. = 185 de F.C.M. − 53 de F.C.B. = 132

80%= 132 x 0.8 = 105

105 + 53 = 158

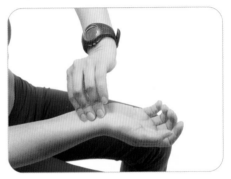

Tomando las pulsaciones

158 sería el umbral de pulsaciones al que podemos trabajar para conseguir los resultados que deseamos.

Es fundamental que toda la sesión se trabaje dentro de este parámetro llamado «*steady state*» (estado estacionario o de equilibrio) sin que se supere nunca el «umbral anaeróbico» (se llega al umbral anaeróbico cuando durante la actividad física realizamos el máximo esfuerzo). Por ejemplo, si hace mucho que no practicamos ningún deporte y un día nos ponemos a hacer alguna sesión intensa, seguramente a los pocos minutos de haber empezado sentiremos fatiga. Eso significa que el ritmo cardiaco se acelerará, los músculos trabajarán con mayor exigencia y en consecuencia se acumulará demasiado ácido láctico*, lle-

*Para poder entender por qué se produce esta sustancia, es necesario saber su relación con los diferentes tipos de ejercicio que existen. Cuando se trabaja por encima de nuestras posibilidades, aumenta el uso de la glucosa en la vía anaeróbica, lo que se traduce en mayor ácido láctico y, a su vez, mayor fatiga muscular.

gando al umbral, al límite. Tampoco descenderemos el «nivel aeróbico» cuando hay un aporte de oxígeno y un consumo que se encarga del proceso bioquímico en el que se generan unos cambios, compuestos por diferentes proteínas, de las que una de ellas es la mitocondria (que es una membrana que recubre la célula muscular y es la puerta de acceso y desecho en la vida de dicha célula), la cual vamos eliminando dependiendo del esfuerzo y duración del mismo. Entendemos, pues, que a mayor ejercicio aeróbico más cantidad de grasa quemaremos o desecharemos.

El ejercicio aeróbico que es de larga duración y de moderada o poca intensidad, es un ejercicio que se realiza de manera continua durante periodos que van desde los 15 minutos hasta varias horas. Por el contrario, el ejercicio anaeróbico tiene la característica de ser de poca duración, pero de gran intensidad. Son actividades deportivas consideradas como explosivas. Pues bien, cuando realizamos actividades aeróbicas (prolongadas) el combustible utilizado principalmente son las grasas (de ahí su importancia para bajar de peso) y los carbohidratos (o glucosa).

Cuando se produce la glucosa por esta vía, deja como residuo agua y bióxido de carbono. Cuando realizamos actividades anaeróbicas utilizamos como combustible la glucosa, la cual produce como desecho por esta vía el famosísimo ácido láctico, luego entonces el ácido láctico es el producto de desecho de la glucosa por la vía anaeróbica.

Es importante una autovaloración del esfuerzo para poder incrementar o disminuir la intensidad del ejercicio. Con este fin podemos ayudarnos, en caso de no disponer de un medidor de cardiofrecuencia con el cual valorar nuestro trabajo de forma más considerable, la escala modificada de Borg. La escala de Borg relaciona la percepción del esfuerzo con la fisiología real al estímulo de entrenamiento.

ESCALA MODIFICADA DE BORG

0	NULO
0.5	MUY, MUY BLANDO
1	MUY BLANDO
2	LIGERO
3	MODERADO
4	BASTANTE INTENSO
5, 6	INTENSO
7, 8, 9	MUY INTENSO
10	EXTREMO

Sería interesante notar la correspondencia dentro de los parámetros de la zona de entrenamiento cardiovascular (del 60% al 85% de la reserva cardiaca) y los valores del tres al siete de la escala modificada de Borg.

Es además importante pensar en el hecho de que nuestra percepción del esfuerzo es directamente proporcional al grado de entrenamiento, por tanto será mejor nuestro estado de forma y también mejor nuestro entrenamiento con la paridad del esfuerzo percibido.

Volviendo a la FASE AERÓBICA o PARTE CENTRAL DE LA PRÁCTICA, ésta debe tener una DURACIÓN MÍNIMA DE 35 ó 40 MINUTOS, prestando especial atención a permanecer en la frecuencia que entrena; es decir, superar el umbral anaeróbico o descender por debajo de la aeróbica. Esto será posible aumentando o disminuyendo el énfasis del campo de acción del movimiento y trabajando también sobre la velocidad de ejecución del mismo.

Repasando, debemos retener estos principios:

- Duración MÍNIMA de 35 ó 40 MINUTOS para esta fase.
- Aumento gradual de la intensidad, llegando a mantener el *STEADY STATE* del trabajo aeróbico.
- Es posible ESTAR en ANAEROBIA (sólo practicantes con experiencia y con unas intensidades y duración muy largas) «agujereando» durante breves periodos de tiempo con una intensidad muy alta, a la que le deben seguir periodos de actividad menos intensa.
- Se recomienda iniciar esta fase con el trabajo de boxeo (brazos), para después seguir con el trabajo de Kick (piernas) en combinaciones con los ejercicios aeróbicos.
- No interrumpiremos nunca bruscamente los ejercicios en esta fase.

- Evitaremos realizar demasiadas repeticiones de piernas, siempre con la misma pierna.
- Trabajemos siempre las dos partes del cuerpo simétricamente, tanto la derecha como la izquierda.
- Además es aconsejable evitar los saltos con las rodillas hiperextendidas. Las rodillas son un muelle, por lo tanto siempre están semiflexionadas.
- Nunca estiraremos las articulaciones de los codos, sino que dejaremos semiflexionados los codos para evitar una lesión importante.
- Se recomienda beber durante la sesión y a ser posible una bebida isotónica con sales minerales para la recuperación de los minerales eliminados en el periodo de la práctica, evitando el bloqueo muscular y los ya famosos calambres.
- Después de esta fase siempre ha de seguir el DESCANSO POST – AERÓBICO.

CALORÍAS CONSUMIDAS EN DIFERENTES DEPORTES

Andar .... 395 cal/h
Golf .... 415 cal/h
Pesas....................................... 420 cal/h
Bicicleta .... 550 cal/h
Aeróbic.................................... 500 cal/h
Natación.................................. 600 cal/h
Carrera .... 660 cal/h
Aerobox................................... 800 cal/h

Bajada de Pulsaciones

En la primera fase de la sesión, apenas el trabajo se convierta en más intenso, nuestro cuerpo contrae una «deuda de oxígeno». Durante toda la fase aeróbica, trabajamos en *steady state,* es decir en el estado de equilibrio entre el oxígeno introducido y el consumo efectuado.

Ahora, apenas disminuye el esfuerzo ha llegado el momento de «pagar la deuda». De hecho, la respiración será todavía afanosa durante un periodo de tiempo y el ratio cardiaco no disminuirá inmediatamente.

Es ahora cuando necesitaremos un periodo de recuperación «activo», que se efectuará a través de una serie de ejercicios de intensidad más o menos decreciente, fluida y continua, de forma que vuelva a unir el ratio cardiaco hacia las pulsaciones de menos velocidad y facilitar el retorno sanguíneo de las extremidades hacia el corazón.

Es aconsejable una música de unos 120 a 125 bits por minuto (bpm).

Extremidades inferiores

TALONES AL FRENTE

1 Para ir bajando las pulsaciones y no parar bruscamente, podemos ir trabajando con toques suaves hacia delante con los talones e ir relajando los hombros hasta volver a la posición inicial. Se puede ir acompañando con unos balanceos de brazos para acompasar la respiración (véase el movimiento de balanceo de brazos para toma de aire). Haremos 16 repeticiones alternando el paso.

Posición inicial

Toques con los talones

Balanceo de brazos

EXTENSIONES LATERALES O LUNGES
DE LAS PIERNAS

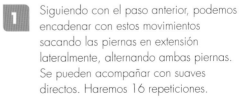

1 Siguiendo con el paso anterior, podemos encadenar con estos movimientos sacando las piernas en extensión lateralmente, alternando ambas piernas. Se pueden acompañar con suaves directos. Haremos 16 repeticiones.

Respiración

BALANCEO DE BRAZOS PARA TOMA DE AIRE

1 Desde abajo, con un círculo de dentro afuera y hacia arriba, inspiramos según van subiendo los brazos hasta llenar los pulmones.

1

Toma de aire

2

Cruce de brazos

3

Apertura para inspirar

Bajada espirando

Después, muy despacio, bajamos los brazos a la inversa soltando suavemente el aire. Repetimos unas cuatro veces.

Bajada soltando el aire

Subida

Cruce de manos

Tonificación

Esta parte de la sesión comprende los ejercicios de fuerza y de resistencia muscular. Nos permite establecer y medir nuestra forma física, ya que siempre es importante el trabajo de resistencia, bien sea con pesas o con nuestro propio cuerpo. Tener un cuerpo tonificado nos da un beneficio extra porque el músculo es el soporte de nuestro esqueleto. A medida que nuestro músculo vaya consiguiendo más resistencia nos ayudará al rendimiento de nuestro trabajo, bien sea en la vida cotidiana como en el deporte que estamos realizando, y así conseguiremos progresivamente dejar a un lado esa fatiga de la que ya hemos hablado en páginas anteriores.

Guía orientativa de series, repeticiones y kilos

EJERCICIOS	SERIES	REPETICIONES	CHICAS / KILOS	CHICOS / KILOS
Bíceps	2	12	3	8
Tríceps	2	12	2	5
Hombros/brazos	2	12	2 / 3	6 / 8
Aperturas	2	15	4	8 / 10
Fondos pecho	2	15		
Fondos tríceps	2	15		
Sentadillas	2	20	6 / 8	10 / 15
Lunges	2	15	3 / 6	8 / 10
Elevación de pierna	2	30 cada pierna		
Abdominal inferior, superior, giros	2	20 cada sección		
Isométrico	2	30"		

Trabajo de tonificación

En el trabajo de tonificación hay que tener en cuenta algunos puntos muy importantes para poder controlar los movimientos, hacerlos correctos y evitar una posible lesión. No olvidemos que trabajamos con un peso extra, que son «las pesas» o «el propio cuerpo».

Tenemos dos movimientos que realizar: el concéntrico y el excéntrico (cuando se trabajan bíceps se sube flexionando el brazo, eso es concéntrico, y cuando bajamos el brazo y lo extendemos es excéntrico). Quiere decir que cuando se hace el esfuerzo en cualquier ejercicio es concéntrico y cuando se relaja es excéntrico.

Otro tema muy importante y que siempre se suele preguntar cuando se hacen pesas es cuándo hay que respirar durante el trabajo de tonificación, y la respuesta es siempre la misma: si vamos a mover un mueble en casa, o un sillón, y pesa mucho ¿qué hacemos? Lo lógico es soltar un gruñido por la boca cuando empujamos y hacemos el esfuerzo (ese gruñido es el aire, que al tiempo de salir, contrae los músculos) contrayendo el diafragma. Lo contrario sería muy difícil de hacer: tomar aire y empujar mientras se hace el esfuerzo.

Pues ahí tenemos la respuesta: inspiramos antes de realizar el esfuerzo y a continuación soltamos el aire y contraemos los músculos para el movimiento concéntrico, la flexión. En el movimiento excéntrico, la bajada se hace tomando aire.

Siempre que estemos de pie recordaremos que las rodillas han de estar semiflexionadas; de lo contrario se sobrecargará la zona lumbar. Si notamos un gran balanceo de la espalda, colocaremos las piernas delante y atrás, como en guardia, así hay dos puntos, anteroposteriores. Otro truco es apoyar la espalda en la pared, ahí sí que ya no se podrá mover y haremos el trabajo más concentrados.

Bíceps

FLEXIÓN DE CODO

Posición de inicio

Flexión de brazo

1 Con los codos pegados al cuerpo, flexionamos los codos con un movimiento hacia los hombros, sin hacer repeticiones muy rápidas y marcando una pauta de movimiento controlado; es decir, tardando el mismo tiempo en subir que en bajar. Inspiramos antes del inicio y cuando vayamos haciendo el esfuerzo vamos soltando el aire. Las rodillas permanecerán semiflexionadas y el abdomen contraído. Se puede trabajar simultáneo o alternado.

Movimiento concéntrico

Codos pegados al cuerpo

Tríceps

PATADA DE TRÍCEPS

1 Inclinamos el cuerpo a 45°, manteniendo la espalda derecha, las rodillas semiflexionadas, el abdomen apretado, los codos pegados al costado y con la línea de la espalda sobresaliendo.

Posición inicial

Colocación de la espalda derecha

Abdomen apretado

Extendemos los dos brazos hasta la horizontal sin llegar a estirar los codos del todo, y volvemos a flexionar. También se puede trabajar a un brazo, uno lo colocaremos como ya hemos indicado y el contrario, apoyado sobre la pierna o en una silla.

Movimiento
excéntrico

Movimiento concéntrico
de tríceps

FONDOS DE TRÍCEPS EN SUELO

2 Nos colocamos como si estuviéramos tomando el sol; sentados, con las rodillas flexionadas y los brazos por detrás estirados. Elevamos ligeramente el glúteo del suelo y echamos el peso del cuerpo hacia atrás. Bajamos flexionando los codos y manteniendo los brazos paralelos. Volvemos a subir.

FONDOS DE TRÍCEPS EN SILLA

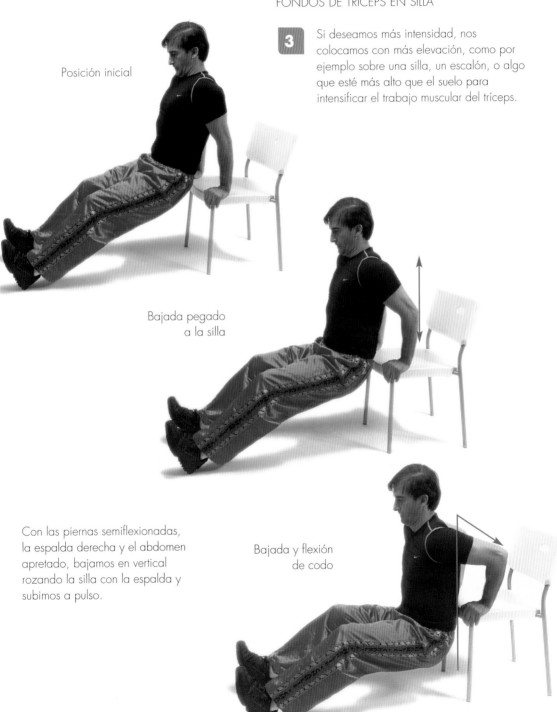

3 Si deseamos más intensidad, nos colocamos con más elevación, como por ejemplo sobre una silla, un escalón, o algo que esté más alto que el suelo para intensificar el trabajo muscular del tríceps.

Posición inicial

Bajada pegado a la silla

Con las piernas semiflexionadas, la espalda derecha y el abdomen apretado, bajamos en vertical rozando la silla con la espalda y subimos a pulso.

Bajada y flexión de codo

Hombros

ELEVACIONES LATERALES

1 Haremos una elevación lateral con los codos semiflexionados, y las rodillas relajadas, subiendo hasta la línea horizontal, y sin estirar los codos en la elevación, pues podríamos lesionar la articulación.

Movimiento inicial

Elevación lateral

Llegada hasta la horizontal

Observemos el movimiento del brazo para interiorizar cómo está flexionado el codo.

Movimiento final

Empezamos el movimiento desde el lateral, pegado a la cadera, llevamos los brazos hasta la horizontal y veremos cómo la línea de las dos manos está a una cuarta por delante del pecho.

Bajada hasta las piernas

RECUERDA

Existe un error común de movimiento al tener el codo completamente estirado que puede lesionar la articulación del codo.

Pectoral

APERTURAS CON MANCUERNAS

1 Vamos a hacer aperturas con mancuernas colocando los brazos perpendiculares al cuerpo y abriendo en cruz sin llegar a tocar el suelo con los codos. Éstos se colocarán también ligeramente flexionados, con las piernas también flexionadas para que la zona lumbar esté completamente apoyada en el suelo.

Movimiento inicial
con los brazos arriba

Apertura con el
brazo semiflexionado

Movimiento final con
elevación de brazos

FONDOS EN SUELO CON LAS
RODILLAS FLEXIONADAS

Posición inicial con las rodillas
flexionadas

2 Nos colocamos de rodillas
con las manos en el suelo
separadas un poco más que
la anchura de los hombros, el
peso del cuerpo sobre los
brazos, el abdomen
contraído y la espalda en
línea. Bajamos en vertical,
despacio, flexionando los
codos hacia fuera y llegando
hasta casi tocar el suelo con
la barbilla. Después subimos
a pulso.

Bajada en vertical con los codos hacia fuera

Bajada hasta casi tocar el suelo

Movimiento final con subida
sin estirar los codos del todo

FONDOS EN SUELO CON LAS PIERNAS ESTIRADAS

Posición inicial con las piernas
estiradas y el cuerpo recto

Flexión de codos

Bajada hasta casi tocar el suelo

3 En este ejercicio
haremos lo mismo que
en el punto anterior,
pero en este caso
mantendremos las
piernas estiradas.
Lógicamente, de esta
forma el trabajo es más
intenso. Debemos
cuidar la postura de la
espalda, bien derecha.

Movimiento final, con los
codos sin estirar del todo

Piernas

SENTADILLAS

La sentadilla es un trabajo muy apropiado tanto para el trabajo de la musculatura que mueve la rodilla, como para los músculos de la cadera. En este movimiento tendremos que tener mucho cuidado con las rodillas para no llevarlas hacia delante, pues es uno de los defectos en los que los practicantes incurren muy a menudo creando pequeñas lesiones en las articulaciones.

Posición inicial

1 Para ejecutar correctamente el movimiento, nos ayudaremos de un punto de apoyo para hacer el ejercicio, de esta forma iremos cogiendo confianza y poco a poco lo haremos sin sujeción.

CON PUNTO DE APOYO

Bajada

Posición final

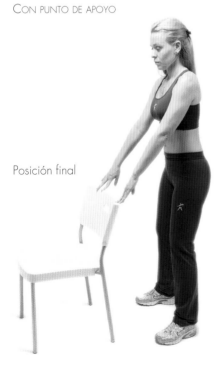

La técnica a seguir es: manteniendo el cuerpo derecho, los hombros relajados, las piernas separadas a la anchura de las caderas, las rodillas relajadas y un poco flexionadas, y los pies ligeramente abiertos, al bajar llevamos la cadera hacia atrás como si nos fuéramos a sentar en la silla, y sin llevar las rodillas hacia delante.

TRABAJO CON PESO

Posición inicial

Para conseguir más fuerza y volumen trabajaremos con peso adicional, colocando una barra por detrás de la nuca o, si son mancuernas, sobre nuestros hombros, para realizar mejor el movimiento.

Inicio de la bajada

Bajada total

Al trabajar con más peso y sin sujeción tenemos que tener más cuidado en el movimiento de bajada ya que podemos perder el equilibrio.

Mantén la vista al frente y baja llevando la cadera hacia atrás, con el peso sobre los talones sin pronunciar, las rodillas hacia adelante. Al subir, no estirar las rodillas del todo.

LUNGES CON AGARRE ALTERNO / SIMULTÁNEO

2 Al ser un trabajo con desplazamiento de pierna en línea se puede perder el equilibrio, por lo que utilizaremos una silla para mantenerlo.

Colocamos las dos piernas juntas y desplazamos una hacia atrás, con una zancada amplia para trabajar con más intensidad los músculos.

Desplazamiento
hacia atrás

Posición de
pies juntos

Evitaremos hacer paso corto, de lo contrario cometeremos el error de llevar la rodilla hacia delante. Se puede trabajar a una sola pierna y cambiar, o alternarlas.

Extensión larga
con flexión de
rodillas

EJERCICIO INCORRECTO

Éste es un error típico al bajar, ¡no debemos llevar la rodilla hacia delante! Suele ocurrir cuando el paso es demasiado corto y no se desplaza con amplitud la pierna hacia atrás.

LUNGES ESTÁTICO

3 Las piernas deberán estar separadas anterioposteriormente a una distancia del doble de los hombros y separadas entre sí la anchura de las caderas. Es un ejercicio bastante utilizado para proporcionar un trabajo unilateral, principalmente de la musculatura interior y posterior del muslo y del glúteo.

Posición inicial

Bajamos flexionando las rodillas e intentamos que la espalda esté derecha. Bajando en vertical, cuidamos que la rodilla delantera no se desplace hacia delante.

Piernas bien separadas

Flexión de rodillas

ELEVACIONES LATERALES DE PIERNA

Es un ejercicio para mejorar la tonificación de los muslos, la cadera y el glúteo. Nos favorecerá para la pegada de las técnicas de pierna por la abducción.

Posición inicial

Mantenimiento de equilibrio

4 Para mantener una buena postura nos sujetaremos a una silla y así mantendremos el equilibrio. Elevaremos lateralmente la pierna hasta una altura media; la pierna de apoyo quedará ligeramente flexionada y no inclinaremos el cuerpo hacia el lado contrario.

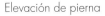

Elevación de pierna

Abdominales

Los músculos abdominales ejercen diferentes e importantes funciones en el contexto general del cuerpo humano. Podemos destacar la fase excéntrica de la respiración forzada, el equilibrio postural, entre otras. De una forma general, podemos afirmar que los músculos dorsales son mucho más solicitados que los abdominales en las tareas rutinarias, y que, por lo tanto, una de las principales causas de las lumbalgias se relaciona al desequilibrio del esfuerzo entre estos dos grupos. Por eso, es fundamental que tengamos programado un plan de ejercicios para estos músculos.

ABDOMINAL INFERIOR CON RODILLAS AL PECHO

1 Nos colocamos con la espalda completamente apoyada en el suelo y las piernas flexionadas elevadas y en ángulo.

Elevación de las piernas despegando la cadera

Posición inicial con las piernas arriba

Elevamos suavemente la cadera llevando las piernas hacia atrás y hacia arriba.

Movimiento final

En la bajada ralentizaremos el movimiento para contraer aún más el abdomen.

ABDOMINAL SUPERIOR CON ELEVACIÓN DE TRONCO FRONTAL

2 Colocamos las manos en la nuca para sujetar la cabeza. Haremos una contracción abdominal hacia arriba elevando media espalda o la parte superior de la misma.

Movimiento inicial con las manos atrás

Elevación de la parte superior sin doblar la cabeza

Fijaremos la vista en un punto elevado y subiremos el tronco sin flexionar la cabeza y sin cerrar el ángulo de la barbilla. Debemos apretar el abdomen al subir y expulsar el aire en la contracción.

Mirada al techo

Movimiento final

EJERCICIO INCORRECTO

Uno de los errores más comunes es doblar la cabeza cerrando el ángulo de la barbilla hacia el pecho, y tirando con las manos de la cabeza. Debemos evitarlo, porque de esta forma tendremos problemas cervicales y malestar en los trapecios.

GIRO DE TRONCO OBLICUO

3 Para trabajar el oblicuo haremos un giro de tronco hacia la rodilla que tenemos flexionada.

Movimiento final

Posición inicial

Mantenemos el cuerpo alineado antes y durante el recorrido, imaginando una línea entre el hombro y la rodilla, ya que por ahí haremos la subida y la contracción abdominal.

Giro hacia la rodilla flexionada

Elevación con giro

EJERCICIO CORRECTO
Movimiento correcto con el giro del tronco sin variar la figura inicial.

EJERCICIO INCORRECTO
En este ejercicio, el error más común es el giro excesivo de la cabeza y el cierre de los codos, lastimando así las cervicales.

ABDOMINAL ISOMÉTRICO

4 Nos colocaremos boca abajo en cuatro puntos de apoyo, con la espalda alineada y paralela al suelo y haremos una contracción abdominal aguantando unos 30 segundos. Evitaremos arquear el tronco para no dañar la espalda.

Vista superior

Vista frontal

Con todos estos ejercicios de tonificación, que son meramente orientativos, tendremos un buen complemento para la práctica de Aerobox. Para los lectores que desean más información sobre ejercicios de musculación, existe un manual especializado en las técnicas de musculación en esta misma editorial.

Relajación y estiramiento

Con esta fase de la sesión recuperaremos nuestras pulsaciones cardiacas a las condiciones iniciales y aumentaremos la movilidad articular y la flexibilidad a través de los ejercicios adecuados.

No podemos comprender la flexibilidad sin relacionarla con otra cosa que no sea la elasticidad muscular y el trabajo de estiramientos es

fundamental al final de cada sesión, involucrando a todos aquellos músculos que hemos trabajado.

La importancia del estiramiento radica en que después de alterar el estado normal del músculo durante la sesión, hemos conseguido una deformación relativa de dicho músculo, acortando su estado natural y produciendo contracturas que alteran el sistema neurológico. Es por ello que a través de este trabajo debemos tratar de seguir un mejor arco de movilidad, evitar el estrés de las articulaciones, evitar también las contracturas, los calambres, sobre todo, que al final de la sesión consigamos sentirnos bien.

Para alcanzar este fin debemos:

- Mantener la posición de estiramiento estático durante unos 20 segundos para eliminar toda la tensión acumulada.
- Poner más atención sobre los grupos musculares específicos; o sea, los trabajados.
- Realizar lentamente los ejercicios de flexibilidad con el máximo campo de acción.
- No hacer rebotes.
- Es una buena norma el insistir en la respiración y en los ejercicios de relajación y *cooldown* o bajada de pulsaciones, que ya hemos visto.

Cómo estirar

ADUCTOR EN FLEXIÓN

Una pierna flexionada y
la otra estirada

Cabeza alta

1 Flexionamos una pierna y
mantenemos la otra estirada a gran
distancia para notar el efecto de
estiramiento en el aductor. La
pierna flexionada ha de estar
totalmente en vertical para no
sobrecargar la rodilla. Nos
apoyaremos con la mano para
mantener el equilibrio. La cabeza
permanecerá alta.

RECUERDA
Debemos seguir la secuencia desde el inicio de este ejercicio y continuarla con los
siguientes.

CUÁDRICEPS EN FLEXIÓN

2 Trabajaremos la cara anterior del muslo, manteniendo la rodilla apoyada en el suelo y la espalda derecha. Debemos sentir el estiramiento en la zona superior del muslo y después cambiar de pierna.

GEMELOS EN FLEXIÓN

3 Cogiendo de la punta del pie, tiramos hacia nosotros, manteniendo la espalda derecha y echando el peso del cuerpo hacia delante.

TIBIAL EN FLEXIÓN

4 Estiramos el tibial partiendo de la misma posición que en el ejercicio anterior, pero esta vez bajaremos la punta del pie y apoyaremos en el suelo toda la planta.

OBLICUO

5 Nos colocamos con las piernas separadas y bien abiertas, ponemos las manos encima del muslo, y empujamos un hombro hacia dentro con una pequeña rotación interna del costado.

LUMBAR Y ESPALDA

6 Para estirar las lumbares subiremos despacio redondeando la espada, metiendo pecho y abdomen y estirando con fuerza con los brazos hacia delante hasta trazar un arco con la espalda.

Posición inicial

Brazo delante y arqueo de la espalda

PECHO

8 La forma más efectiva de estirar el pectoral es a través de este ejercicio. Nos colocamos de pie, con los brazos hacia la espalda y las manos agarradas entre sí, y estiramos hacia arriba y hacia atrás.

> **RECUERDA**
> Mantener las piernas ligeramente abiertas y aplicar el trabajo en la zona superior del tronco.

DELTOIDES

8 Para estirar el deltoides, agarramos el brazo por delante del cuello, con la mano contraria apretando hacia adentro por la zona del tríceps y estiramos aguantando unos segundos sin soltar.

> **RECUERDA**
> El músculo deltoides tiene prácticamente todas las funciones del hombro: es flexor, abductor y aductor, y también ejerce de rotación interna y externa. Su complicada anatomía multifuncional bien merece un cuidadoso mantenimiento al trabajarlo y estirarlo.

TRÍCEPS

9 Nos colocamos de pie con las piernas separadas y la espalda recta. Llevamos el brazo por detrás de la cabeza, y con la otra mano, empujamos del codo hacia abajo. Luego cambiamos de brazo.

BÍCEPS

10 Estiramos el brazo hacia delante colocando la palma de la mano hacia fuera y con los dedos hacia abajo. Con la otra mano agarramos los dedos y tiramos hacia atrás.

ESPALDA LATERAL

11 Nos colocamos de pie, con las piernas separadas y flexionadas, arqueamos la espalda con un brazo por encima de la cabeza y con el otro brazo sobre el muslo para soportar el peso del cuerpo. Intentamos estirar hacia el lado contrario como si quisiéramos tocar la pared contraria.

CUELLO

12 Ponemos una mano encima de la cabeza, pero sin forzarla demasiado, sólo con el peso de la mano es suficiente para hacer el estiramiento, el otro brazo estirará a la inversa, hacia abajo.

CUÁDRICEPS

13 De pie, sujetamos una pierna a la altura del empeine del pie, y la llevamos hacia atrás pegando el talón al glúteo. La pierna de apoyo estará semiflexionada, nuestra espalda, derecha y ejerciendo una ligera presión hacia dentro.

GEMELO Y SÓLEO

14 Nos colocamos de pie, con las piernas anterioposteriores bien separadas. La pierna delantera flexionada y la trasera estirada con el talón apoyado completamente en el suelo. Ponemos la punta del pie hacia delante.

Para estirar el sóleo, acortaremos el paso flexionando la pierna atrasada y bajando el peso del cuerpo en vertical.

RECUERDA

Los estiramientos han de hacerse de forma controlada y con un tiempo de unos 20 segundos por grupo muscular, si aún sentimos sobrecargada la zona, podemos insistir una vez más. Recordemos que estos estiramientos son específicos para las zonas que se han trabajado, no es un manual de estiramientos.

Para los lectores que desean ampliar sus conocimientos en este campo, existe un manual de Stretching en esta misma editorial, donde se explican todos los grupos musculares y sus estiramientos paso a paso.

La música

Estructura de la música

BITS POR MINUTO

Las prácticas del Aerobox continuo se utilizan con una música en 4/4, de 32 cuentas, esto es muy regular en su construcción. En el mercado del Fitness existe música especial para estas prácticas, música de Aerobox y de Aeróbic. La velocidad de la música para una práctica será de 140/150 bpm (bits por minuto, o lo que es lo mismo, los impulsos de la música. Es igual que los latidos del corazón). Si colocamos nuestra mano en el pecho, cogemos un cronómetro y calculamos cuántos latidos da nuestro corazón en un minuto, sabremos nuestras pulsaciones y ya de paso nuestro estado físico, pero, aunque nos sirva de ejemplo ahora ése no es nuestro caso. Imaginemos que hemos contado unas 120 pulsaciones por minuto que tenemos de nuestro corazón. Imaginemos ahora que nuestro corazón suena así: PUM, PUM, PUM,...

Durante el minuto que contamos, hemos sentido «120 PUM» (latidos del corazón). Ahora lo haremos con la música, pongamos una canción con ritmo, marcha, del tipo discotequero, y coloquemos las manos como para empezar a dar palmadas, vamos a ir dando palmadas con ese ritmo, como cuando se está escuchando música e involuntariamente se dan toquecitos con el pie en el suelo. Por cada nota, una palmada,... PLAS, PLAS, PLAS, PLAS... ¿Cuántas palmadas hemos dado en un minuto? ¿138? Pues ésa es la velocidad de la canción.

¿Cómo se utiliza la música?

La música es un lenguaje y, como tal, puede expresar impresiones, sentimientos, estados de ánimo, etc. Es muy importante escoger el material auditivo que nos servirá para cultivar la sensibilidad y la atención en la práctica. Durante la sesión, la música desempeña dos factores muy importantes:

- Motivar e incentivar cuando practicamos la sesión de Aerobox.
- Determinar el ritmo de ejecución de los ejercicios que desarrollaremos en la práctica.

¿Por qué 32 cuentas?

La música que escuchamos habitualmente de Dance, o de House, ya viene estructurada en compases de 4/4 bits; además, normalmente estos compases están organizados de 8 + 8 + 8 + 8 = (32 bits). ¿Por qué es así? La música presenta en su tiempo «moléculas» constituidas por diferentes casos musicales unificados. Desde el punto de vista estructural, podremos interpretar como aquello que se puede cantar en un solo respiro. Es como si el vocal o instrumento de la música descansara naturalmente, como si hubiera una coma cada ocho bits. Esto es lo que se conoce como frase musical. Veamos la música como un discurso verdadero y propio, formado por:

1. bits 1 bit: f e n ó m e n o

2. Frase musical (1/8) 8 bits: f e n ó m e n o

3. Bloque de 32 cuentas: fenómeno aeróbico boxeador práctico

Cada vez que empieza el primer (1) bit, notaremos un golpe más fuerte en la música, y cada ocho golpes notaremos, como ya mencionamos, como si existiera una coma o un respiro en la canción, así que cada 32 tiempos notaremos un cambio brusco:

1, 2, 3, 4, 5, 6, 7, 8 - 1, 2, 3, 4, 5, 6, 7, 8 - 1, 2, 3, 4, 5, 6, 7, 8 - 1, 2, 3, 4, 5, 6, 7, 8

↑
Fuerte

1, 2, 3, 4, 5, 6, 7, 8 - 1, 2, 3, 4, 5, 6, 7, 8 - 1, 2, 3, 4, 5, 6, 7, 8 - 1, 2, 3, 4, 5, 6, 7, 8

↑
Fuerte

(1, 2, 3, 4, 5, 6, 7, 8) = FRASE X 4 = BLOQUE
bit, bit, bit, bit, bit, bit, bit, bit

1, 2, 3, 4, 5, 6, 7, 8 - 1, 2, 3, 4, 5, 6, 7, 8 - 1, 2, 3, 4, 5, 6, 7, 8 - 1, 2, 3, 4, 5, 6, 7, 8 = BLOQUE

Cómo entender la música en la práctica

Después de todas estas explicaciones sobre cómo trabajar la música, lo llevaremos a la práctica. A la hora de trabajar los ejercicios, tanto las técnicas como los pasos aeróbicos, (ejercicios en movimiento constante) los ejecutaremos, claro está, al ritmo musical.

Trabajaremos el puño directo según estamos en guardia (véanse las técnicas de directo) teniendo en cuenta que nuestro brazo, que está flexionado, pegado el codo al cuerpo y con la mano debajo de la mandíbula, va a dar un puñetazo trazando una línea directa al frente imaginando la cara de un contrario. Visualicemos ese movimiento de cómo sale el puño y del retroceso a su posición inicial de guardia. ¿Cuántos movimientos hemos realizado? ¡Dos! Uno para el movimiento de estiramiento y el segundo para el de flexión.

Vayamos a las notas musicales, hemos utilizado dos cuentas o dos bit para un solo directo:

1, pegada – 2, recogida 3, 4, 5, 6, 7, 8

Ya tenemos un directo hecho al ritmo musical. Si seguimos esta cuenta en ocho bits ¿cuántos directos realizaremos? ¡Efectivamente!, cuatro directos:

1, 2,   3, 4,   5, 6,   7, 8

1   2   3   4

Recordemos que en el capítulo de estructura de una práctica, desarrollábamos en el ejemplo de una sesión ocho directos (1) con la guardia derecha (2), y ocho directos (1) con la guardia izquierda. Volviendo a lo anterior, hemos trabajado en ocho cuentas cuatro directos y queremos hacer los ocho directos, por lo tanto cogeremos dos frases para realizarlos:

1, 2, 3, 4, 5, 6, 7, 8 1, 2, 3, 4, 5, 6, 7, 8   ocho directos guardia derecha

1, 2, 3, 4, 5, 6, 7, 8 1, 2, 3, 4, 5, 6, 7, 8   ocho directos guardia izquierda

En total hemos utilizado un bloque musical 16 + 16 = 32

Todas las técnicas que utilicemos en las prácticas las llevaremos a este método de cuentas. Pero si no lo tenemos claro, recordemos que se venden discos con la música y la práctica de Aerobox donde se indican más claramente todos estos pasos. En cualquier caso, esta teoría siempre resulta mucho más sencilla una vez que se ha trabajado en la práctica.

Con las técnicas de pierna utilizaremos cuatro notas por patadas, ya que sería muy factible por su dificultad una posible lesión si se utilizara en dos notas.

Por ejemplo:

Subir y patear son dos notas 1, 2, bajar y retomar la posición son dos notas 3, 4

Si no queremos trabajar las técnicas muy seguidas, podremos espaciarlas con movimientos, dejando dos notas o cuatro en medio de las técnicas:

Ejemplo de puño directo:

1, 2,	3, 4,	5, 6,	7, 8	= 2 directos
Pegada, recogida	esperar	pegada, recogida	esperar	

1, 2,	3, 4,	5, 6,	7, 8	= 2 directos
Pegada, recogida	esperar	pegada, recogida,	esperar	

4 directos en 16 tiempos

BREVE PANORÁMICA SOBRE LOS DEPORTES DE COMBATE

En los deportes de combate encontramos algunos estilos principales:

- De Tailandia tenemos el Thaibox, que es deporte nacional tailandés. No llevan ninguna protección y se pueden usar tanto las rodillas como los codos. Los deportistas van ataviados con pantalones cortos de satén.

- De Francia viene el Boxeo Francés, deporte nacional después del Rugby y el Fútbol, denominado «esgrima pugilístico» por sus golpes frustrados.

- De Estados Unidos llega el Full-contact, una vía intermedia entre el Kárate y el Boxeo. Se puede golpear únicamente por encima de la cintura y utilizan protecciones en las tibias y en los pies. Se visten con pantalones largos y cómodos.

- Siempre de Estados Unidos y de Europa tenemos el Kickboxing, la disciplina más difundida del mundo. Es probablemente la más compleja de todas, requiere velocidad, potencia, movilidad, y un óptimo conocimiento del Boxeo. La vestimenta es la misma que la de Thaibox.

- En cuanto al Boxeo, buscar sus orígenes casi probablemente nos llevaría otra vez a Estados Unidos, porque ya se boxeaba en la época del oeste y de allí salió el primer campeón del

mundo. Se utiliza el pantalón corto con el torso descubierto y guantes de unas medidas que se denominan «onzas». Dependiendo del peso del boxeador se utilizarán más o menos onzas.

• La Defensa Personal son técnicas que, además de divertidas, actúan como pequeños trucos callejeros para salir airoso de cualquier situación violenta, además encajan a la perfección en las sesiones de Aerobox.

EL MATERIAL

Además de la ropa, que ya hemos comentado en la página 10, existen una serie de complementos en la práctica del Aerobox.

La cuerda

Es uno de los ejercicios mas idóneos y eficaces para desarrollar el juego de piernas, ya que gracias al movimiento de la parte superior e inferior desarrollamos la psicomotricidad, que no es otra cosa que la buena coordinación ajustada en su movimiento a la par de brazos y piernas.

Podemos empezar haciendo saltos con los dos pies juntos, luego con una pierna, alternando un pie con otro, saltando a dos tiempos con ambos pies y seguido a la pata coja más de tres o cuatro saltos alternos.

Para poder desarrollar el movimiento que trabajaremos en las prácticas nos colocaremos en guardia (2) derecha con saltos adelante y atrás, saltando con la comba y cambiando de guardia.

CONSEJOS ÚTILES

- Saltar siempre sobre la punta o parte delantera de los pies, elevándose lo justo para que pase la cuerda por debajo.

- Saltar con ligereza y elasticidad asumiendo elegancia y soltura con todo el cuerpo.

- Al girar la cuerda, no levantaremos nunca los puños por encima de las caderas. Este movimiento circular de la cuerda sólo se debe confiar a las muñecas.

- Intentemos divertirnos con este juego de la simulación, alcanzaremos pulsaciones muy elevadas, ya que a medida que la coordinación vaya siendo mayor, mayor será el ritmo cardiaco, intentaremos esprintar los últimos 10 segundos si hacemos dos o tres sesiones.

- Llevaremos la respiración acorde con el movimiento, respirando siempre por la nariz (filtro y calentamiento de la zona que atraviesa).

El saco

El trabajo con saco es un complemento muy idóneo para definir lo que hayamos conseguido en las prácticas, porque nos sirve principalmente para mejorar la calidad básica del practicante, la velocidad y sobre todo la potencia. El golpeo del saco no sirve para desarrollar la potencia pura, pero lo que sí

haremos es practicar un trabajo más definido en la velocidad.

El entrenamiento de las repeticiones de velocidad aumenta la resistencia y mantiene elevada la capacidad de ejecución, lo que permite, como ya hemos mencionado anteriormente, aumentar a su vez la frecuencia cardiaca.

Las vendas y los guantes

Recordemos el concepto del juego de la simulación. Sí, repetimos la misma frase, porque sentiremos más realismo en las prácticas, tendremos más sintonía con la lucha de verdad y eso nos hará más fuertes en el entrenamiento y nos dará más confianza en nuestro yo, nuestro ser interior. ¿Quién no ha deseado ponerse unos guantes y pegar y pegar?… ¡Al saco!

LAS LESIONES

Los calambres

Se trata de un espasmo muscular involuntario, que es ocasional, producido por una contracción no deseada, no suele tener gravedad, pero sí es muy doloroso e incómodo. Suele afectar a los gemelos, al bíceps femoral, y a los dedos de los pies.

Es un dolor muy intenso y localizado, notándose al tacto una dureza en el músculo afectado. Suele producirse cuando hay un sobreesfuerzo muscular, porque al realizar ejercicios intensos nuestros músculos se llenan de toxinas y desechos, y pierden sales minerales, produciendo así el calambre. También puede ocurrir por problemas circulatorios o de mala irrigación al músculo, e incluso por posiciones incómodas al mantener una mala postura. En cualquier caso, es una lesión poco grave, pero muy incómoda.

Cuando se sienta el calambre, se debe dejar cualquier actividad que se esté practicando; ya de por sí el propio dolor nos hará parar de inmediato. Podemos masajear la zona afectada y ejercer un suave estiramiento hasta notar que el dolor va remitiendo. Para evitar constantes calambres, vamos a tomar alimentos ricos en sodio y en potasio.

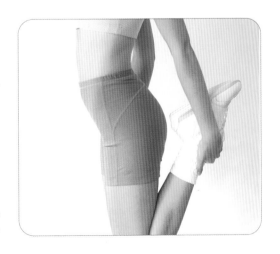

El tirón

Se trata de una tensión sobre las fibras musculares, sobre un movimiento repentino y violento en el que se produce una distensión al límite del desgarro (pre-

mos frío sobre la contusión. Si lo vendamos, aplicaremos pomada antiinflamatoria sobre la venda y lo taparemos sin mucha presión.

Las agujetas

Están provocadas por la actividad repentina en calidad o cantidad, en practicantes poco entrenados, bien por el inicio de temporada o por lo novedoso de la actividad física, al ejercitar un músculo por encima del nivel del esfuerzo al que está acostumbrado. Ya hemos comentado este apartado en la fase aeróbica o parte central de la práctica sobre el ácido láctico.

El resultado es el dolor cuando se vuelve a ejercitar de nuevo ese músculo (normalmente aparecen los síntomas al las 12 ó 24 horas después del entrenamiento) en casos especialmente graves se pueden producir microdesgarros musculares.

Podemos aplicar baños calientes o cualquier otra forma de calor húmedo y también suaves masajes superficiales con estiramientos controlados.

SESIÓN
PRÁCTICA

DISTINTAS
POSICIONES

A continuación pasaremos al trabajo práctico del Aerobox, vamos a ir viendo todas las técnicas una por una y para que nos resulte más fácil su manejo, hemos creado un sistema de números y letras que van adjuntas con cada técnica, de esta forma nos desenvolveremos mejor.

POSICIÓN DE LAS MANOS

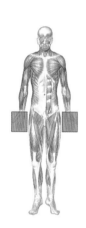

Desde la posición de mantener la mano abierta de forma natural, iremos flexionando los dedos hasta tener el puño bien cerrado con el dedo pulgar por fuera y junto a los otros, de esta manera tenemos todos los dedos protegidos y así evitaremos el enganche o dislocación del dedo gordo a la hora de golpear.

Mano abierta

1.ª Flexión   2.ª Flexión   Puño cerrado

Dedo por fuera

EJERCICIO INCORRECTO

Debemos evitar agarrarnos el dedo pulgar al cerrar el puño o mantener el dedo abierto por fuera del puño; si lo agarramos, corremos el riesgo de lesionar la articulación. Dejarlo por fuera , en cambio, es un índice casi inevitable de que nos podamos enganchar con la propia ropa y rompernos el dedo al hacer los ejercicios y dar puñetazos.

Dedo agarrado

POSICIÓN DE LOS BRAZOS: LA GUARDIA

GUARDIA (1)

1 Nos colocamos con los pies paralelos y la vista frontal, con los codos pegados al costado, las manos con los puños cerrados debajo de la barbilla y los hombros un poco encogidos, como si escondiéramos la cabeza.

GUARDIA (2)

2 Nos colocaremos en guardia adelantada, con un brazo adelantado y el otro atrasado, el brazo adelantado será el mismo que el de la pierna adelantada. El codo atrasado irá pegado al costado, con el puño junto al mentón para protegernos de un posible ataque. El puño delantero se colocará con el codo pegado al costado y el puño algo más separado de la barbilla.

Cada estilo posee su propia guardia y cada practicante adoptará enseguida la forma más cómoda y efectiva de protegerse en función de sus características.

POSICIÓN DE LAS PIERNAS

En las prácticas de Aerobox utilizaremos dos tipos de guardia, a las que llamaremos posición de guardia (1) y posición de guardia (2) derecha e izquierda.

Posición de guardia (1)

Posición de guardia (2) derecha

Posición de guardia (2)
derecha, de perfil

POSICIÓN DE GUARDIA (1)

 Nos colocaremos con los pies en paralelo ligeramente más separados que la distancia de los hombros, con las piernas un poco flexionadas y con la mayor parte del peso en la parte delantera del pie para facilitar la rotación.

POSICIÓN DE GUARDIA (2) DERECHA

2 La guardia la utilizaremos simétricamente a derecha e izquierda, de esta forma simétrica trabajaremos las dos partes por igual y así nuestra estructura muscular se desarrollará sin descompensación.

Tomemos el ejemplo de un reloj:

- El pie derecho se sitúa a las 12:00.
- El pie izquierdo, a las 14:00.
- Los pies se colocan en paralelo, pero desplazados delante y detrás.
- La distancia entre ambos pies será la de la anchura de los hombros con uno delante y el otro atrás.

> Para obtener simetría en el movimiento haremos las mismas repeticiones con ambas guardias. ¡Mantenemos siempre los brazos en guardia! En posición de guardia (2) el peso se distribuye en un 60% en el pie delantero y un 40% en el retrasado.

POSICIÓN DE GUARDIA (2) IZQUIERDA

3 En el segundo caso la guardia será opuesta, es decir, hacia la izquierda.

- El pie izquierdo se sitúa a las 12:00.
- El pie derecho, a las 10:00.
- Los pies van en paralelo, pero desplazados delante y detrás.
- La distancia entre ambos pies será la de la anchura de los hombros con uno delante y el otro atrás.

Es importante que el practicante esté siempre sobre las puntas de los pies para permitir una rotación más fácil del cuerpo, sin dañar las articulaciones de tobillos y rodillas.

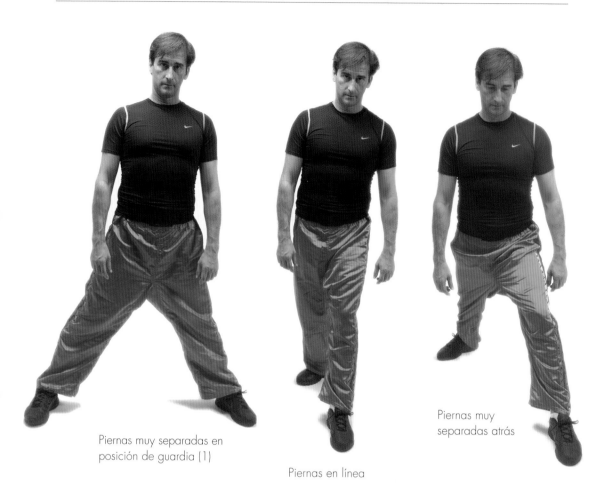

Piernas muy separadas en
posición de guardia (1)

Piernas en línea

Piernas muy
separadas atrás

Pies totalmente
apoyados

ERRORES MÁS COMUNES

- En la posición de guardia (1) se suelen separar demasiado las
  piernas y dejar las rodillas estiradas.
- En la posición de guardia (2) debemos abrir demasiado las piernas a la anchura de las caderas.
- A veces se coloca la pierna atrasada por detrás de la delantera, manteniendo las rodillas estiradas.
- No debemos tener las plantas de los pies totalmente apoyadas en el suelo.
- Evitaremos trabajar con las piernas rígidas.

TÉCNICAS DE PUÑOS
Y CODOS

TÉCNICAS DE PUÑOS

El manejo del puño es importante para casi la totalidad de esta práctica, exactamente igual que en el pugilismo, y se vienen utilizando la larga, media, y corta distancia, emparejando en las mismas distancias a las técnicas de piernas.

Las técnicas fundamentales son: el directo, el gancho y el uppercut o ascendente; también se pueden utilizar las técnicas de las Artes Marciales tales como los golpes con el codo o golpes con el torso del puño, Defensa Personal y todo aquello que se

pueda imaginar en una pelea, bien sea en defensa o en ataque. Vamos a partir de la posición de guardia (1 ó 2), clásica del Boxeo, (véase la técnica en las páginas 92 y 93).

No vamos a empezar con las técnicas de puños, sin antes aclarar algo sobre los nombres que utilizaremos en las prácticas: muchos practicantes se preguntan por qué ellos en sus disciplinas denominan de otro modo las técnicas que nosotros utilizamos, la razón simplemente es que en el Aerobox no inventamos nada, pero mantenemos los nombres más comunes de todas las técnicas que desarrollamos, para seguir un lenguaje universal, de tal forma que todos los practicantes de Aerobox nos entendamos con solo decir, ya no el nombre, sino los números y las letras que iremos aprendiendo, lo que nos hace más prácticos y contundentes.

Directos

Las técnicas de directo suelen ser las más empleadas en las prácticas y, al igual que en el Boxeo, suelen utilizarse para mantener las distancias en el combate.

Denominaremos a las técnicas de directos con los números (1) y (2) y con los siguientes nombres: brazo adelantado (1), brazo atrasado (2), siempre en la guardia (2) derecha o izquierda.

DIRECTO GUARDIA FRONTAL (1)

1 Desde la posición de guardia (1), cuando realizamos los directos al no tener una pierna delante (guardia 2) llamaremos a la técnica directo derecho o izquierdo.

Posición de guardia (1)

Directo derecho
en vista lateral

Directo derecho

En la posición neutra o guardia (1) siempre denominaremos a la técnica directo. El puño sale en línea directa al frente sin llegar a estirar el codo del todo llevando el puño frente a tu cara.

Directo izquierdo

DIRECTO AL ROSTRO JAB

2 Desde la posición de guardia, estiramos el brazo adelantado en línea directa frente a la nariz, sin llegar a estirar del todo el brazo y dejando una pequeña flexión natural del codo.

Guardia (1)

Directo (1) visto de perfil

Hacemos un ligero empuje con el hombro hacia el sitio de pegada, ya que con este movimiento se imprime una mayor potencia en la técnica.

Directo (1) vista frontal

El otro puño permanece debajo del rostro para protegernos ante un posible golpe contrario y el hombro derecho se eleva un poco para proteger el mentón. Esta técnica se emplea en las distancias largas.

Movimiento final

Cuando practicamos el directo podemos colocarnos algo lateralmente para imprimir mayor pegada con el empuje de la cadera, además de con el hombro como ya hemos mencionado. De esta forma ofrecemos menos blanco al oponente.

Directo (1) al rostro jab

DIRECTO AL CUERPO O CROSS

3 Se trata de un golpe con el brazo trasero en dirección al cuerpo, más bien al pecho y la técnica es la misma que la del directo al rostro: con salida directa sin llegar a estirar el codo.

Directo al pecho

Guardia (2)

Directo (2)

Cuando se realice el golpe, podemos ayudar empujando con el hombro y giramos en la misma dirección la cadera, formando así un «todo en uno». Esta técnica se emplea en distancias cortas.

Movimiento final

SECUENCIA DE LAS TÉCNICAS DE DIRECTO (1) Y (2)

4 A la hora de golpear, se debe poner toda la energía en un punto (el puño) y en el momento determinado (la pegada), hay que contraer el abdomen y soltar el aire para proyectar toda la fuerza.

Guardia (2)

Gancho (1)

Directo (2)

EJERCICIO INCORRECTO

Un error muy típico durante la práctica es el estiramiento del brazo, bloqueando la articulación del codo, y llegando a causar una grave lesión articular.

Ganchos

El gancho, que por su impacto es demoledor, si nos fijamos bien en el Boxeo, suele ser el causante de la mayoría de los K.O. Se trabaja en distancias muy cortas a la espera de «enganchar» (de ahí la palabra gancho) al oponente cuando menos se lo espere.

GANCHO GUARDIA FRONTAL (1)

1 El gancho desde la posición de guardia (1) se identifica como gancho derecha o izquierda.

Un puño debe adelantarse con el codo flexionado y el otro permanecerá junto a la barbilla como gesto defensivo.

Guardia (1)

Gancho frontal

Posición final

GANCHO AL ROSTRO (3)

2 Es un golpe circular a la cara a media distancia, elevando el brazo hacia delante y medio flexionado paralelo al suelo, al mismo tiempo hacemos un giro con la cadera y con la punta del pie delantero.

Paramos el golpe al pasar la línea de nuestra media cara.

Posición (2)

Gancho (3)

Vista frontal

RECUERDA

Imaginamos que el brazo está escayolado flexionado en ángulo y tenemos que golpear a la cara del contrario. El puño llegará hasta pasada la nariz.

GANCHO AL CUERPO (4)

3 Se trata de un gancho con el brazo atrasado, separado ligeramente del cuerpo y trazando un semicírculo con el brazo flexionado (lo que ya se ha explicado en el punto anterior).

En este caso, además, se hace acompañando con una rotación de la cadera y de la pierna trasera, elevando el talón de atrás. Este golpe es de distancia corta y se da al cuerpo, bien al pecho o al costado.

2

Lance del gancho

Guardia (2)

Si queremos que vaya al costado, flexionaremos algo más las piernas y bajaremos un poco el brazo, pero nunca vamos a echar el cuerpo hacia delante, porque de esta forma daríamos al contrario nuestra cara.

3

4

Gancho (4)

Movimiento final

5

Giro del tronco

Lance del gancho

Inicio del movimiento con demasiada apertura del brazo.

Golpeo que el contrario visualiza con antelación.

ERRORES DEL DIRECTO Y DEL GANCHO

En el directo, el brazo se desplaza demasiado hacia atrás, creando un recorrido muy amplio, con lo que el contrario visualiza rápidamente nuestra intención.

El error más común del gancho es la exagerada apertura a la hora del golpeo, desplazando demasiado el brazo hacia atrás y visualizándose la técnica antes del contacto.

El contrario nunca debe saber nuestras intenciones al trabajar cualquier técnica: recordemos que siempre simularemos el verdadero espíritu del combate y para ello trabajaremos con el mayor realismo posible.

Uppercut o ascendente

Cuando se trabajan varias combinaciones en un combate, se suelen encadenar golpes arriba, abajo, a los costados y a todos los puntos del cuerpo con la intención de ir abriendo la guardia del oponente. Si ejecutamos un directo (2) al estómago, ¿cuál sería la reacción del contrario? ¡Exacto! Inclinar el cuerpo hacia delante por el dolor del impacto. ¿Cuál sería nuestra reacción? ¡Efectivamente! Una técnica ascendente o uppercut.

Esta respuesta es la más lógica, porque su cabeza se inclina hacia nosotros, con lo cual él solo se va a encontrar con nuestro puño uppercut (5).

UPPERCUT GUARDIA FRONTAL (1)

1 El uppercut o ascendente desde la posición de guardia (1) se identifica como uppercut derecha o izquierda, según el puño que empleemos. Desde la posición de guardia, giraremos el puño descendiendo como si quisiéramos impactar sobre el estómago del contrario.

Uppercut derecha

Uppercut izquierda

Posición de guardia (1)

UPPERCUT O ASCENDENTE ALTO (5)

2 El uppercut o ascendente alto es un golpe de abajo arriba, para atacar a una distancia media/corta. Se utiliza cuando el adversario está cerca de nosotros, y se usa para golpeo en el mentón o barbilla.

Inclinación para ascendente

Guardia (2)

Se desplaza el brazo que golpea un poco hacia atrás y con una ligera flexión de rodillas, impulsamos todo el cuerpo junto con el brazo en dirección ascendente.

Uppercut (5)

Posición final

La separación del puño con relación a la cara debe ser algo más de una cuarta, aproximadamente.

SEPARACIÓN DEL PUÑO

El brazo atrasado debe seguir en guardia para proteger la cara.

La separación del brazo siempre dependerá de la distancia, pero en una práctica intentaremos calcularla y mantenerla.

UPPERCUT O ASCENDENTE AL CUERPO (6)

3 Se trata de un golpe con el puño de atrás y es una técnica que se utiliza para distancias muy cortas. Se puede trabajar bien al estómago o, con una ascendencia, a la barbilla.

Golpe al rostro

Cuando realizamos la técnica llevamos todo el peso y el empuje hacia adelante con la elevación del talón del pie trasero pero sin ofrecer nuestra cara al contrario, mantenemos siempre la verticalidad.

1

Empujamos con la cadera y la pierna atrasada simultáneamente a la pegada en dirección ascendente.

2

3

Posición de guardia (2)

Trayectoria al estómago

4

Al elevar el puño la parte interna del mismo tiene que estar mirando hacia nosotros con los nudillos hacia el mentón del contrario.

Recuerda mantener el otro puño pegado a tu cara como defensa.

Uppercut (6) a la barbilla

Posición final

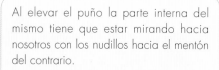

SECUENCIA DE LAS TÉCNICAS DE UPPERCUT (5) Y (6)

4 Uppercut en secuencia

Uppercut (5)

3

2

1

Recorrido
desde atrás

Guardia (2)

4

Uppercut (6) a
la barbilla

5

Posición final

6

Uppercut (6) al
estómago

ERRORES DEL UPPERCUT

Algunos principiantes imprimen una excesiva apertura hacia atrás del brazo que va a golpear. Recordemos que cuanto mayor sea el recorrido, más tiempo perderemos en el golpeo y más visibilidad daremos al contrario.

En general, las técnicas tienen que ser como un látigo, con movimientos rápidos, controlados y efectivos.

Debemos mantener siempre el cuerpo en su vertical, sin llevar la cabeza nunca hacia delante, protegiéndonos de un posible ataque del contrario. Además, vamos a jugar con las caderas, los talones elevados y la flexión de las piernas para trabajar el golpe final.

TÉCNICAS DE CODOS

La técnica de codo no se suele utilizar en combates reglamentarios, y nada en el Boxeo, por lo tanto ya sabemos que de ahí no la vamos a escoger.

En las Artes Marciales sí se emplea como técnica, sobre todo en los Katas o Formas (es la base de la estructura del Kárate). Los codos, por su corta palanca al tener flexionado el brazo cuando va a impactar, son de lo más eficaz en todas las técnicas de la práctica, junto con las rodillas.

Los utilizaremos dependiendo de la distancia y la colocación del contrario.

Golpe de codo circular

GOLPE DE CODO CIRCULAR DELANTERO

1 Desde la posición de guardia (2) sacamos el codo delantero realizando una trayectoria de semicírculo de fuera adentro con el brazo flexionado, impulsando el cuerpo y girando la cadera. La dirección es a la cara o a la cabeza.

Técnica potente y efectiva para golpear en el rostro del oponente. Durante la práctica, aparte de utilizar las tres técnicas principales como directo, gancho y uppercut, añadiremos estas técnicas de codo, para romper la monotonía en su dinámica.

Guardia (2)

Golpe de codo circular

1

Al realizar el golpeo tenemos que tener cuidado de no pasarnos de la línea simétrica de nuestro cuerpo, ya que por la inercia del movimiento circular podríamos darnos la vuelta y ofrecer la espalda al oponente.

2

3

4

Posición de guardia

Salida de codo

Golpe de codo circular

Giro de cadera

GOLPE DE CODO CIRCULAR TRASERO

2 Realizaremos el mismo recorrido que en la técnica anterior, pero con el brazo atrasado.

1

Posición de guardia

Salida de codo

2

Golpe circular trasero

3

4

Posición final

Golpe de codo lateral

ELEVACIÓN DE LA PIERNA

1 Elevamos ligeramente la pierna hacia el lado que vayamos a golpear para pasar a la posición lateral.

Elevación de la pierna

Guardia (2)

Golpe de codo al tiempo que pisamos

GOLPE DE CODO LATERAL

2 Al apoyar el pie, golpearemos simultáneamente con el codo, soltando el aire y contrayendo el abdomen; en ese momento el golpe se efectuará ayudándonos con la otra mano y empujando el puño del codo que golpea.

Posición final

Una vez apoyado el pie, se lanza el codo soltando el aire y contrayendo el abdomen.

Vista lateral

ATENCIÓN

Cuando trabajemos una técnica debemos espirar el aire al mismo tiempo que aplicamos el golpe y soltar un chillido: «KIAI» (es la liberación de la energía interna que fluye por nuestro cuerpo). Al tiempo, contraemos todos los músculos; este grito se trabajará cuando sintamos que esa técnica lo requiera, donde notemos que el golpe va a ser más fuerte.

OBSERVACIÓN

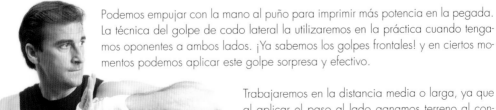

Podemos empujar con la mano al puño para imprimir más potencia en la pegada. La técnica del golpe de codo lateral la utilizaremos en la práctica cuando tengamos oponentes a ambos lados. ¡Ya sabemos los golpes frontales! y en ciertos momentos podemos aplicar este golpe sorpresa y efectivo.

Trabajaremos en la distancia media o larga, ya que al aplicar el paso al lado ganamos terreno al contrario.

Golpe de codo hacia atrás

Ya hemos visto anteriormente cómo el ataque puede venir de frente y a los lados; en este caso, cuando hay un oponente detrás y casi cuerpo a cuerpo, utilizaremos el golpe de codo hacia atrás.

ELEVACIÓN DEL BRAZO

1 Desde la posición de guardia (1) ó (2), elevaremos ligeramente el brazo flexionado con la mano contraria en el puño del brazo de golpeo.

GOLPE TRASERO

2 Simultáneamente, llevaremos la pierna del mismo brazo que va a golpear hacia atrás empujando con el codo y llevando la mirada hacia la zona de pegada.

RECUERDA

Siempre que terminemos de realizar la técnica, nos colocaremos de inmediato en guardia. Recordemos el apartado de la música en el que los movimientos que realizamos en la práctica van acordes con los BIT. Si miramos esta última técnica del golpe de codo hacia atrás, utilizamos 1,2, para el golpe atrás y 3, 4, para colocar en guardia.

TÉCNICAS DE ESQUIVAS Y DEFENSA SOBRE PUÑOS

No todo es atacar y atacar, ante todo debemos tener una buena defensa y aprender a utilizarla. En las Artes Marciales lo que prevalece es el espíritu de la defensa. Aprenderemos muchas cosas, pero esto no es una escuela para enseñar a pegarse con el primero que pase.

A continuación vamos a ir viendo las defensas más comunes y sencillas para el manejo en la práctica.

Aquí vamos a ver los reflejos ante un posible ataque de puño directo. Lo más eficaz es un ligero movimiento lateral, pero sin mucha pronunciación, siempre estaremos atentos y preparados porque después de una defensa podremos encadenar con un ataque.

Esquiva circular sobre directo

ESQUIVA DE PUÑO DIRECTO AL ROSTRO

1 Siguiendo los pasos marcados en las fotos, imaginemos que el punto de color es el puño del contrario y lo esquivaremos en semicírculo bajando a un lado con flexión de rodillas (las rodillas siempre han de estar semiflexionadas, son nuestro muelle, nos movemos al son de su flexión). Luego iremos subiendo en semicírculo y volveremos a nuestra guardia.

Cuando hagamos el movimiento de bajada no llevaremos la cara hacia adelante. Bajaremos en vertical y explosivo para esquivar la técnica y poder sorprender con un ataque.

Al bajar no quitaremos nunca la vista al frente pues debemos imaginar que miramos siempre a los ojos del contrario.

Posición de guardia

Esquiva 1

Esquiva 2

Esquiva 3

Esquiva lateral sobre directo

INCLINACIÓN LATERAL SOBRE PUÑO DIRECTO

1 Al tiempo que vamos inclinando el cuerpo, bien a un lado o al otro, llevamos una mano hacia los genitales para protegerlos de una posible patada o de una rodilla. La mano contraria siempre quedará pegada a la cara.

Posición de guardia   Lado derecho   Lado izquierdo   Posición final

Esquiva con retroceso del tronco

ANTICIPACIÓN DEL ATAQUE

1 Con una leve inclinación hacia atrás nos salvaremos de un posible impacto en la cara. Es importante moverse sobre las puntas de los pies, porque permite esquivar velozmente y anticiparse al ataque del contrario.

Posición de guardia   Inclinación hacia atrás   Posición final

Esquiva sobre el gancho

PROTECCIÓN Y ATAQUE HOMBRO-CODO

1 Para ofrecer menos zona de golpeo al contrario, giraremos el cuerpo colocándonos lateralmente, protegiendo la zona del hígado y sacando el codo delantero para intentar dañar su puño en caso de que intente hacer impacto.

Posición de guardia · Giro lateral · Posición final

Parada frontal sobre puño

BRAZOS JUNTOS

Posición inicial · Cierre de los dos brazos · Posición final

 1 Desde la posición inicial, juntamos los dos brazos al tiempo que contraemos el abdomen para amortiguar el impacto de la técnica de puño. Se puede dar un pequeño salto atrás.
Esta defensa se utiliza para frenar un ataque de puño directo al rostro.

Defensa de mano abierta arriba

DEFENSA FRONTAL

1 Desde la posición inicial (2) con la palma de la mano abierta y los dedos bien juntos, desplazamos la mano por delante de nuestra nariz para defendernos de un ataque directo a la cara. (Imaginemos que queremos espantar una mosca).

Posición de guardia   Lado derecho   Lado izquierdo   Posición final

SECUENCIA DEFENSIVA

Éste es el movimiento que se efectúa hasta situar la defensa por delante de nuestra nariz para detener un ataque directo a la cara.

EN RESUMEN...

Podemos decir que las técnicas de puños y codos se centran en dos acciones fundamentales: el ataque y la defensa. Los directos, ganchos y uppercut son movimientos de ataque, del mismo modo que lo son los distintos golpes efectuados con el codo. Las esquivas y paradas, en cambio, son a su vez técnicas defensivas. Debemos aprenderlas todas, pero trataremos de no caer en la tentación de dar más importancia a unas que a otras. En el Aerobox se deben combinar y no dejarse llevar por la pasión del golpe sin más; recordemos que es una lucha imaginaria que tan sólo pretende mantenernos en forma, fortalecer nuestra autoestima y expulsar el estrés y la agresividad diaria de una forma sana.

TÉCNICAS DE PIERNAS Y RODILLAS

TÉCNICAS DE PIERNAS

En este apartado trabajaremos las técnicas de piernas con las que tendremos un especial cuidado, ya que el movimiento no es igual que el de los brazos. Sólo con el peso de las piernas, ya contamos con una dificultad, y si le añadimos la elevación, las rotaciones, las extensiones y todo eso unido con el ritmo musical, puede causarnos algún que otro problema, no sólo nos referimos a una lesión, sino también a la coordinación.

De las técnicas de las Artes Marciales, utilizaremos las más útiles y efectivas (recordemos que esto no son prácticas de Kárate u otro Arte Marcial). Trabajaremos a una altura media/baja para evitar una lesión muscular como desgarros, tirones o calambres. Como ya vimos en el apartado de la música, en las técnicas de piernas utilizaremos como mínimo cuatro notas o BIT para que nos dé tiempo a hacer completo el recorrido de la patada.

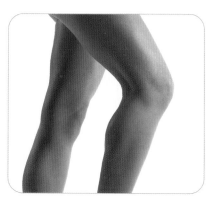

Recordemos cómo hemos de utilizar la respiración y el chillido «KIAI». Cuando hagamos las coreografías no daremos muchas patadas seguidas por nuestra seguridad, sino que las combinaremos con los puños, las defensas y los pasos aeróbicos.

Patada frontal

PATADA FRONTAL DELANTERA (E)

1 Desde la posición de guardia (2), elevamos la pierna adelantada a la altura de la cintura, manteniendo la guardia de los brazos.

1

2

Elevación de la rodilla delantera

Extensión de la pierna

3

Posición de guardia (2)

A continuación, extendemos la pierna pegando con la base de los dedos o con la planta del pie.

4

5

Ahora recogemos la rodilla y caemos en guardia. Al tiempo del impacto, empujamos un poco con la cadera. Esta técnica es defensiva y la distancia en que se trabaja es corta/media.

Recogida de la rodilla

Posición final

PATADA FRONTAL TRASERA (F)

2 Con esta patada subiremos la pierna y, al mismo tiempo, giraremos el pie de apoyo a 45°, con lo que evitaremos una lesión de rodillas. Debemos girar sobre la punta de los pies.

1

2

Posición de guardia (2)

Elevación de la rodilla trasera

3

Extensión de la pierna

4

Redogida de la rodilla

Posición final

La patada frontal (f) tal vez sea la más utilizada y la más eficaz en la práctica, por su rapidez en la ejecución.

Es muy importante no exagerar la patada, primero porque te puedes lesionar y segundo, perderemos el equilibrio y la guardia, sin tener posibilidad de continuar con otra técnica.

La pierna saldrá desde atrás y se utilizará para una distancia media/larga. Recordemos siempre hacer un pequeño giro con la base del pie para que la patada se ejecute correctamente. La dirección de la patada frontal es hacia el estómago del contrincante.

Vista frontal

Vista lateral

Posición de los pies

ERROR EN LAS PATADAS FRONTALES

El error más común al patear es que la pierna de apoyo esté estirada, debemos flexionarla un poco.

Recuerda que si no giramos el pie de apoyo 45° la propia cadera no podrá imprimir potencia en la pegada.

Cuando realicemos las técnicas de patada evitaremos abrir la guardia.

Patada lateral

PATADA LATERAL DELANTERA (G)

1 Por el giro de cadera es una de las técnicas más difíciles de ejecutar, pero la más eficaz porque la potencia de su pegada es demoledora. Cuando utilizamos la pierna delantera siempre se trata de técnicas para una distancia media y defensiva.

Posición de guardia (2)

1

Elevación de la rodilla delantera

2

Para efectuar la patada lateral elevaremos la rodilla delantera con un pequeño salto sobre la punta del pie y haremos una rotación de cadera de 90° colocándonos lateralmente al oponente.

Extensión de la pierna

3

Inclinaremos el cuerpo hacia atrás y estiraremos la pierna al tiempo que el pie de soporte gira en dirección opuesta a la pegada. Golpearemos con la planta del pie.

No olvidemos que esto no es una escuela de Kárate, y que cada practicamente tiene una flexibilidad distinta a otros. Trabajaremos la patada a la altura que más cómodos nos sintamos.

Posición final

5

La recogida se hace a la inversa de la pegada, con flexión de rodilla, llevando la pierna abajo y volviendo a la posición de guardia.

Recogida de la rodilla

4

Tanto en la subida como en la bajada es importante y necesario que el movimiento de elevación de rodilla se realice siguiendo la pauta marcada para la pegada.

RECUERDA

Al efectuar la elevación de rodilla para preparar la pegada, la cadera gira sobre el pie de apoyo 90° y debemos girar también el pie al mismo tiempo.

Vista del pie de apoyo al efectuar la patada. La punta del pie está en dirección contraria a la pierna que golpea.

VARIACIÓN DE LA PATADA LATERAL DELANTERA (G)

2 En esta variación de patada lateral delantera, lo que haremos es desplazar la pierna de atrás hacia delante y, una vez juntas, elevaremos la pierna delantera como en el paso anterior.

1

2

Posición de
guardia (2)

3

Desplazamiento de la
pierna trasera

Elevación de la
rodilla

Posición de las manos

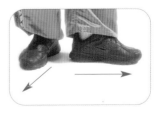

Posición de los pies

4

Esta variación depende de la distancia a la que se encuentre nuestro oponente, por eso colocamos el paso hacia delante.

Extensión de la pierna

5

El movimiento del pie trasero ya va colocado desde el inicio del arrastre, mirando con la punta del pie hacia atrás para facilitarnos la lateralidad de la patada.

7

Recogida de la rodilla

6

Posición desplazada

Posición final

PATADA LATERAL TRASERA (H)

3 Es una técnica de pierna lateral trasera para distancias largas. Nos fijaremos en el tercer paso, donde veremos cómo al trazar el giro de cadera de 90° con la extensión de la pierna aumenta la distancia.

1

2

Elevación de la rodilla trasera

3

Extensión de la pierna

Posición de guardia (2)

4

Recogida de la rodilla

Desde la posición de guardia subiremos la pierna de atrás haciendo un giro de 90° colocándonos totalmente en posición lateral hacia donde vamos a golpear.

Controlaremos el pie de apoyo para que gire hacia al lado opuesto en el momento en que estiramos la pierna.

Patada lateral de distancia larga

En las técnicas de patada lateral hemos visto hasta tres formas diferentes de ejecutar la patada corta, media y larga, y cada una de ellas para situaciones distintas. Cuando escojamos una de las tres, piensa en la continuidad del movimiento siguiente y cuál será el más eficaz para la distancia que supuestamente queda entre tú y el oponente.

Ofrece todo tu 'ateral en esta patada y cuando estés golpeando mira por encima de tu hombro.

ERROR EN LAS PATADAS LATERALES

Es frecuente el error en la ejecución de la patada porque el pie de abajo no se ha girado, pudiendo causar una lesión de rodilla muy grave. Recordemos en los puntos anteriores que el pie de apoyo debe girar al lado opuesto.

Patada circular

Como en la patada lateral, en las patadas circulares también se realizará la rotación sobre la punta del pie.

PATADA CIRCULAR DELANTERA (I)

Se llama así por el trazado circular que va describiendo la patada al salir desde atrás pegada al glúteo hasta estirarse al golpear.

1 Desde la posición de guardia (2) inclinamos el cuerpo un poco hacia atrás, elevamos la pierna flexionando la rodilla y pegando el talón al glúteo, y giramos el cuerpo sobre el pie de apoyo unos 45°, siempre dando un pequeño salto para favorecer el giro con la punta del pie de apoyo.

2

Elevación de la rodilla

3

Posición de guardia (2)

Una vez que la pierna está arriba, y flexionada paralela al suelo, la estiraremos para efectuar la patada. Como ya hemos dicho en puntos anteriores, debemos practicar a ser posible todas las patadas hacia la zona media del cuerpo.

Extensión de la pierna

4

La finalidad de esta técnica en concreto es llegar a los costados. Al ser circular, viene bien para patear los laterales y buscar el hígado del oponente, que es una zona muy vulnerable. La distancia, como en la anterior patada lateral, es media/corta.

Recogida de la rodilla

VARIACIÓN DE LA PATADA CIRCULAR DELANTERA (I)

1 En esta variación de patada circular delantera lo que haremos será desplazar la pierna de atrás hacia delante, y una vez juntas, elevaremos la pierna delantera como en el paso anterior. Esta variación depende de la distancia en la que se encuentre nuestro oponente.

Posición de guardia (2)

1

2

Elevación de la rodilla con rotación de 45° sobre la pierna de apoyo, el talón se pega la glúteo y la pierna está paralela al suelo

3

Reculación de la pierna adelantada con rotación del pie 45°

Posición final

5

Recogida de la rodilla

4

Extensión de la pierna

1

PATADA CIRCULAR TRASERA (J)

3 Desde la posición de guardia (2), elevamos la pierna trasera llevando el talón pegado al glúteo.

2

Giramos la cadera al tiempo que subimos la rodilla girando el pie de apoyo. La pierna se colocará paralela al suelo para efectuar la extensión circular al lateral. Esta patada se utiliza cuando golpeamos al costado y en distancia larga.

3 Extensión de la pierna

Posición de guardia (2)

4

RECUERDA

Algunos principiantes encuentran difíciles los ejercicios de patadas porque además de la exigencia en fuerza y coordinación, también implican una dosis considerable de equilibrio. Existen ejercicios sencillos para fomentar el equilibrio que consisten en pintar una raya en el suelo y practicar la marcha sobre la línea con un pie, con los dos, la marcha cruzada a los lados de la línea, caminar sobre ella con las rodillas flexionadas, de puntillas o de talones. No obstante, el equilibrio también se acaba dominando con la práctica constante de casi cualquier deporte.

Recogida de la rodilla

PATADA CIRCULAR DELANTERA BAJA O LOW-KICK (I)

1 La secuencia y la forma se desarrollan igual que en la patada circular delantera, pero en este caso la patada va hacia la rodilla.

1

2

Elevación de
la rodilla

Posición de
guardia (2)

3

Si se tienen problemas de elasticidad al subir la pierna, utilizaremos esta patada a la rodilla o también se puede trabajar la variante de la patada circular delantera avanzando un paso.

4

Recogida de la
rodilla

Extensión de la
pierna

RECUERDA

En todos los ejercicios de patadas debemos rotar 45° la pierna de apoyo para evitar lesiones a la hora de elevar la rodilla.

PATADA CIRCULAR TRASERA BAJA O LOW-KICK (J)

1 Repetiremos la misma secuencia que en la patada circular trasera, pero golpeando hacia la rodilla.

Elevación de la rodilla

Extensión de la pierna

Recogida de la rodilla

Posición de guardia (2)

ERRORES EN LAS PATADAS CIRCULARES

Al igual que en la patada lateral, el error más habitual es no girar el pie hacia el lado opuesto al golpeo.

Técnicas de esquivas y paradas de patadas
Parada de patada media

SUBIDA DE LA RODILLA

1 Para defendernos de una patada subiremos la rodilla tocando con nuestra guardia y encogiéndonos, formando una especie de bola para que no penetre la técnica del contrario.

Posición de guardia

Elevación de la pierna

Vista lateral

Posición final

Defensas bajas

DEFENSA BAJA DE PIERNA CON MANO ABIERTA

1 Desde la posición de guardia (2) nos colocaremos en lateral para ofrecer menos blanco al contrario. Con la mano abierta desde arriba vamos bajando en círculo, pero sin mover el codo para poder seguir protegiéndonos, la defensa la realizamos con la palma de la mano, manteniendo los dedos de la mano juntos.

Posición de guardia

Mano abierta

Bajada de la mano

1

2

3

4

5

6

Cuerpo en posición lateral

Defensa ante una patada

Posición final

VARIACIÓN DE DEFENSA BAJA DE PIERNA CON MANO ABIERTA

1 Aquí tenemos una variación de la defensa anterior. En este caso no giramos el cuerpo, sino que ofrecemos nuestro frontal. Desde la posición de guardia, abrimos la mano y bajamos hasta nuestra cintura para defendernos de una patada frontal media.

Empujamos con la palma de la mano. Al estar en situación frontal, una vez defendidos, podemos contraatacar con un directo a la cara.

Mano frontal abierta

Bajada sin abrir la guardia

Defensa de patada frontal

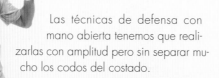

Las técnicas de defensa con mano abierta tenemos que realizarlas con amplitud pero sin separar mucho los codos del costado.

Se mueve como un abanico, arrastrando toda la técnica que quiera penetrar en nuestra zona. El movimiento de la mano debe detenerse en seco al llegar a la zona defensiva y volver a colocarnos en guardia.

Parada sobre patada lateral

BRAZOS JUNTOS

1 Para defendernos de una patada lateral debemos juntar los dos brazos al tiempo que encogemos el abdomen y expulsamos el aire. Cerramos la guardia y evitamos que la patada lateral penetre en nuestro cuerpo.

Posición de guardia (2)

Brazos juntos

Posición final

Defensa de patada circular

GIRO LATERAL

1 Como ya hemos visto, las patadas circulares se emplean para patear los costados. Para evitar recibir en los lados y sobre todo en el hígado, giraremos el tronco y nos colocaremos en lateral, escondiendo atrás nuestro punto débil, y protegiéndonos con el codo para absorber el impacto.

Posición de guardia (2)

Giro del tronco

Posición final

TÉCNICAS DE RODILLA

En una lucha cuerpo a cuerpo o después de haber encadenado una serie de técnicas con golpes en el abdomen, la zona baja o la patada a la tibia, por esas zonas siempre hay un acto reflejo de retroceso y la reacción es de encogimiento.

En el momento en que el contrario se encoge es cuando aplicaremos las técnicas de rodilla frontales, agarrando la cabeza y ejecutando la técnica a la cabeza, siempre simulando con realismo el agarre a la misma.

Rodilla frontal

RODILLA FRONTAL DELANTERA (A)

1 Desde la posición de guardia, estiramos los brazos para hacer la simulación de agarre a la cabeza y a continuación llevamos nuestras manos hacia la rodilla al tiempo que ésta sube frontalmente.

Elevaremos la pierna que tenemos adelantada.

1

Posición de
guardia (2)

Al tiempo del impacto y del agarre haremos un empuje con la cadera hacia adelante, de esta forma proyectaremos más fuerza en la pegada.

4

Posición final

3

Elevación frontal
de la rodilla
delantera

2

Agarre de la
cabeza

RODILLA FRONTAL TRASERA (B)

1

2 En este caso, al desplazar desde atrás la rodilla y al tener la pierna más recorrido, el impacto será mayor que con la pierna delantera.

2

Seguimos los mismos pasos que en el anterior, pero aquí sale desde atrás y hacia el frontal.

3

4

Posición de guardia (2)

Agarre de la cabeza

Elevación frontal de la rodilla trasera

Posición final

POSICIÓN DE LAS MANOS

Desde los puños cerrados en la posición inicial de guardia, al estirar los brazos abrimos las palmas con la intención de agarrar la cabeza del contrario o de parar un posible ataque. Luego llevamos las manos a la rodilla para ayudar en nuestro ataque.

Rodilla circular

RODILLA CIRCULAR DELANTERA (C)

1 Con esta técnica llevamos la rodilla al costado, lo que vamos buscando son los laterales del contrario (las costillas); ya que, al ser circular, nos da la posibilidad de trabajar más el cuerpo a cuerpo y sujetarlo por los hombros o el pecho.

Ejecutamos el golpe con la rodilla delantera desde abajo, elevándola en semicírculo al costado.

Elevaremos la rodilla de la pierna que tenemos adelantada.

Posición de guardia (2)

Agarre de la cabeza

Elevación de la pierna circular delantera

Rodilla al costado

Posición de las manos

TÉCNICAS
ESPECIALES

En este apartado hemos querido hacer unas secuencias con técnicas más bien de Defensa Personal o callejeras, las cuales son muy divertidas y las podremos ir acoplando en las prácticas y así, obtener algunas ideas para que cada uno vaya desarrollando en su programa.

AGARRE DEL PELO O LA CABEZA

AGARRE IMAGINARIO

1 Llevamos las dos manos hacia la cabeza para agarrar el pelo. Suponiendo que no tuviera o fuera muy corto, sujetaremos la cabeza.

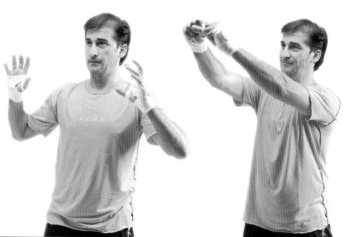

Posición de guardia   Manos abiertas   Agarre

EMPUJÓN

IMPULSO DELANTERO

 Tomaremos impulso con los brazos y empujaremos con fuerza hacia delante.

Esta técnica se aplica ante una situación en la que necesitemos desprendernos rápidamente del contrario, aunque esté prácticamente encima de nosotros, o incluso después de una secuencia de puño o rodilla, en la que quede aturdido, aplicaremos el empuje.

Posición de guardia

Brazos atrás para tomar impulso

Secuencia del empuje

RECUERDA

Realmente, empujar a quien nos ataca es uno de los actos reflejos más habituales, por eso las técnicas de Defensa Personal lo aplican en sus rutinas, para mantener entrenada de una forma más efectiva algo que todos llevamos dentro por instinto. Esto ocurre con otros movimientos, como el golpe o la esquiva, que son maneras naturales e innatas de protección del ser humano.

PATADA HACIA ATRÁS

Recordemos los capítulos con las técnicas de codos: necesitábamos una acción que nos defendiera de un ataque por detrás. En las patadas encontramos esta forma de golpeo ante un ataque por nuestra espalda.

1

Posición de
guardia (2)

2

Elevación frontal
de la rodilla

3

ELEVACIÓN DE LA RODILLA

1 Desde la posición de guardia (2) elevamos la rodilla frontal, antes de golpear debemos mirar hacia el punto del impacto, atrás.

Desplazamiento de la
pierna hacia atrás

ESTIRAMIENTO TRASERO Y RECOGIDA DE LA PIERNA

2 Vamos desplazando la pierna por detrás hasta completar el estiramiento. Golpearemos con el talón hacia el estómago del enemigo.

Esta patada es para una distancia larga, y debemos golpear antes de que se acerque el contrario. Recogemos la pierna hacia delante y bajamos en posición de guardia. Después del golpeo no bajamos la pierna atrás como si fuese de plomo.

Debemos seguir en todos los casos la secuencia, ya que la recogida siempre nos favorecerá para caer en la posición de guardia y continuar con las siguientes técnicas en la práctica.

6

4

Extensión de la pierna

5

Posición final

Recogida de la pierna

PATADA FRONTAL EN SALTO

Esta técnica sí que es muy especial, y tiene bastante dificultad en su ejecución. Queda muy espectacular al final de una práctica, ya que nos da ese toque de película de Artes Marciales que tanto refuerza la autoestima y tanto divierte al deportista. Aquí sí sería un buen momento para practicar nuestro chillido y liberar así toda la energía.

SALTO Y PATADA

1 Desde la posición de guardia nos impulsaremos con un gran salto y en el aire daremos la patada frontal, recogiendo las piernas y cayendo de nuevo en posición de guardia.

Salto hacia arriba
2

Posición de
guardia (2)

1

3

Extensión de la pierna
en el aire

Para ejecutar el salto debemos liberar toda nuestra fuerza y energía, pero nunca olvidarnos de retornar a la guardia para poder continuar si la práctica así lo exige.

4

Recogida de la pierna

5

Posición final

RECUERDA

Este tipo de patadas espectaculares son muy difíciles para personas que gozan de poca flexibilidad. Hay ejercicios específicos de Stretching para mantener los músculos flexibles, que son muy sencillos de ejecutar y que se pueden practicar en cualquier sitio. Además, y sobre todo, jamás se debe olvidar el calentamiento previo a la sesión de Aerobox porque si al efectuar este tipo de golpes el cuerpo se encuentra frío, podemos arriesgarnos a una lesión muscular seria.

PISOTÓN

TÉCNICA DE DISTRACCIÓN

1 La picaresca no está reñida con el deporte, por eso el pisotón es tan efectivo; simplemente es una maniobra de distracción que se emplea para aplicar después otros golpes en secuencia.

1

Posición de guardia

Elevación de la pierna

2

Bajada con rabia

3

Al pisar el pie del contrario, el dolor le hará bajar la guardia haciendo que su cuerpo se agache y así aprovecharemos para utilizar, o bien los codos, o las rodillas en contraataque. Debemos elevar ligeramente la pierna y dar un pisotón. Se utiliza sólo para distancias muy cortas.

RECUERDA

El espíritu de las Artes Marciales, el Boxeo, o cualquier tipo de lucha que nos lleva al juego de la simulación debe hacernos sentir que el trabajo que desarrollaremos en la práctica nos ayudará a mejorar y a sentirnos bien.

Es evidente que sin la imaginación queda un vacío en este deporte, por lo que debemos usar tanto la cabeza como el resto del cuerpo.

Desde aquí esperamos que las técnicas que se han ido describiendo con o contra un oponente sean la mejor manera para aplicar perfectamente todos y cada uno de los movimientos, tanto como mera práctica deportiva y de ocio, como en el caso de que la vida nos lleve ante situaciones de peligro.

4

5

Posición final

DEFENSA DE PATADA FRONTAL CON BRAZOS CRUZADOS

DEFENSA Y CRUCE DE BRAZOS

1 Desde la posición guardia, recogemos un poco el paso para tomar
impulso y caer con las dos piernas abiertas simétricamente, al tiempo que
se cruzan los dos brazos para detener la patada del oponente.

Por supuesto que no es la más idónea para esa defensa,
pero sí le da a la práctica un plus de energía, ya que al
pisar y cruzar los brazos simultáneamente nos invita al ya
mencionadísimo «¡KIAI!», liberador de energía.

1

Posición de guardia (2)

2

Elevación de los brazos

3

Desplazamiento hacia
atrás

Cuando vamos a iniciar el movimiento, los brazos ya van elevándose para tomar impulso y bajar con fuerza. El cruce de brazos se realiza justo con el pisotón de la pierna que se dezplaza al lateral.

Cuando los brazos han cruzado, no estirarlos del todo, mantener una ligera flexión.
No llevar el tronco hacia delante.
Mantener la verticalidad del cuerpo.

4

Brazos cruzados

5

Posición final

Cuadro recordatorio de la sesión práctica

Posiciones
- Manos
  - Mano abierta
  - Primera flexión
  - Segunda flexión
  - Puño cerrado
- Brazos
  - Guardia (1)
  - Guardia (2)
- Piernas
  - Guardia (1)
  - Guardia (2)

Técnicas de puños
- Directos
  - Guardia frontal (1)
  - Al rostro jab (2)
  - Al cuerpo cross
- Ganchos
  - Guardia frontal (1)
  - Al rostro (3)
  - Al cuerpo (4)
- Uppercut
  - Guardia frontal (1)
  - Rostro (5)
  - Ascendente al cuerpo (6)
- Esquivas y Defensas
  - Esquiva circular sobre directo
  - Esquiva lateral sobre directo
  - Esquiva con retroceso del tronco
  - Esquiva sobre el gancho
  - Parada frontal sobre puño
  - Defensa de mano abierta

Técnicas de codos
- Golpes
  - Codo circular delantero
  - Codo circular trasero
  - Codo lateral
  - Codo hacia atrás

Técnicas de piernas
- Patadas
  - Frontal delantera (E)
  - Frontal trasera (F)
  - Lateral delantera (G)
  - Lateral trasera (H)
  - Circular delantera (I)
  - Circular trasera (J)
  - Delantera baja o Low-Kick (I)
  - Trasera baja o Low-Kick (J)
- Esquivas y paradas
  - Parada de patada media
  - Defensa baja con mano abierta
  - Defensa de patada frontal baja
  - Parada sobre patada lateral
  - Defensa de patada circular

Técnicas de rodillas
- Golpes
  - Rodilla frontal delantera (A)
  - Rodilla frontal trasera (B)
  - Rodilla circular delantera (C)
  - Rodilla circular trasera (D)

Técnicas especiales
- Agarre del pelo o la cabeza
- Empujón
- Patada hacia atrás
- Patada frontal en salto
- Pisotón
- Defensa con brazos cruzados

BREVE

REPASO

LAS LETRAS
DEL AEROBOX

VOCABULARIO DE PATADAS CON LETRAS

TÉCNICA	LADO	LETRA
Patada frontal	Pierna adelantada	E
Patada frontal	Pierna de atrás	F
Patada lateral	Pierna adelantada	G
Patada lateral	Pierna de atrás	H
Patada circular	Pierna adelantada	I
Patada circular	Pierna de atrás	J

VOCABULARIO DE PATADAS BAJAS

TÉCNICA	LADO	LETRA
Patada circular baja	Pierna adelantada	I
Patada circular baja	Pierna de atrás	J

VOCABULARIO DE TÉCNICAS DE RODILLAS

Ya que los golpes de rodillas son simplemente «simulación» de las patadas reales, utilizaremos las primeras letras del abecedario.

TÉCNICA	LADO	LETRA
Rodilla frontal	Pierna adelantada	A
Rodilla frontal	Pierna de atrás	B
Rodilla circular	Pierna adelantada	C
Rodilla circular	Pierna de atrás	D

Ejemplos de combinaciones para la práctica del Aerobox

COMBINACIÓN 1

1 (B) Directo (1- 1) (rápidos)
(C) Directo (2)
(D) Un salto atrás
(E) Esquivas
(F) Patada frontal (F)
(G) Dos saltos a ambos lados

Posición de guardia (2)

Recogida

Directo (1)

Comenzaremos desde la posición de guardia para lanzar un directo derecho y otro izquierdo. Estas acciones serán rápidas y coordinadas, prestando atención a cada paso y cuidando de no bloquear la articulación del codo.

Directo (1)

Directo (2)

6

Después de varios golpes, comenzamos una secuencia defensiva con salto atrás y diversas esquivas circulares y laterales sobre el directo hasta volver a la posición de guardia.

8

7

Esquiva

Salto atrás

9

Esquiva

Desde aquí vamos a iniciar una patada frontal con la elevación de la rodilla trasera o extensión de la pierna y recogida.

Esquiva

10

11

12

Fin de equiva, guardia

Patada frontal (F)

Elevación de la rodilla

16

De nuevo desde la posición de guardia y tras un ejercicio de ataque, iniciamos otra vez una secuencia defensiva con saltos laterales a ambos lados.

15

14

Salto a un lado

Salto a otro lado

13

Guardia

Como puede observarse, se trata de combinar de un modo equilibrado las técnicas de ataque con las defensivas y aplicar de una manera fluida todo lo que hemos aprendido hasta ahora. Para ello, será necesario haber practicado cada movimiento por separado hasta dominarlos enlazados.

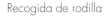

Recogida de rodilla

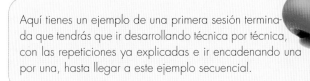

Aquí tienes un ejemplo de una primera sesión terminada que tendrás que ir desarrollando técnica por técnica, con las repeticiones ya explicadas e ir encadenando una por una, hasta llegar a este ejemplo secuencial.

DESARROLLO DE LA COMBINACIÓN 1 CON MÚSICA

2 A continuación desarrollaremos esta secuencia de la coreografía con la música. Son dos frases de ocho tiempos. Ya sabemos que un bloque son cuatro frases por ocho.

En una práctica de Aerobox se utilizarán dos bloques de 32 tiempos. A continuación desarrollaremos unas sesiones como práctica.

(Los dos directos (1) los trabajaremos en dos BIT, soltando los dos puñetazos rápidos como dos latigazos).

COMBINACIÓN 1

Posición de guardia (2) derecha

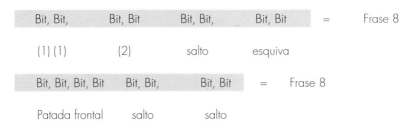

Bit, Bit,	Bit, Bit	Bit, Bit,	Bit, Bit	=	Frase 8
(1) (1)	(2)	salto	esquiva		

Bit, Bit, Bit, Bit	Bit, Bit,	Bit, Bit	=	Frase 8
Patada frontal	salto	salto		

Posición guardia (2) izquierda

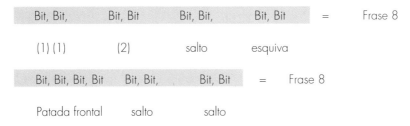

Bit, Bit,	Bit, Bit	Bit, Bit,	Bit, Bit	=	Frase 8
(1) (1)	(2)	salto	esquiva		

Bit, Bit, Bit, Bit	Bit, Bit,	Bit, Bit	=	Frase 8
Patada frontal	salto	salto		

COMBINACIÓN 2

 3

(A) Gancho (3)
(B) Uppercut (6)
(C) Esquivas laterales
(D) Patada lateral (F) al lado cae en squat (piernas abiertas)
(E) 2 rodillas derecha + 2 rodillas izquierda

1

Posición de guardia
(2)

2

Gancho (3)

3

Uppercut (6)

Los movimientos de ataque parten de un
gancho al rostro y un uppercut o
ascendente al cuerpo. Iniciamos la
defensa con esquivas laterales.

5

4

Esquivas a los lados

Esquivas a
los lados

De nuevo el ataque con
una patada lateral que
termine en una posición
en squat o de piernas
abiertas.

7

6

Patada lateral al lado

Elevación de rodilla

8

9

Vemos cómo
en la técnica de pa-
tada lateral se eleva siempre primero la rodilla antes de golpear y
cómo después de la extensión de
la pierna se recoge la misma. Esto
hace que la patada tenga mayor
efectividad y potencia por ser un
movimiento más horizontal y lineal
a la zona de golpeo como el abdomen o el pecho del contrario.

Recogida
de pierna

Posición squat

Desde la posición de squat simularemos la técnica especial de agarre del pelo o cabeza y, muy seguidos, varios golpes de rodilla alternos.

10

Vista al frente agarre de la cabeza

11

Golpe de rodilla 1

12

Bajada de pierna

13

Golpe de rodilla 2

Cambio de pierna

14

Agarramos o bien del pecho o de la cabeza y con dos saltos golpeamos con las rodillas al rostro. Al tiempo del doble impacto al rostro. Al tiempo del doble impacto con ambas rodillas soltaremos el aire con el ya mencionado (KIAI).

15

16

Golpe de rodilla

Bajada de pierna

Los agarres podremos imaginarlos desde sujetar cabeza, hombros, pecho dependiendo de la distancia y nuestra reacción.

DESARROLLO DE LA COMBINACIÓN 2 CON MÚSICA

4 Posición de guardia (2) derecha

| Bit, Bit, | Bit, Bit | Bit, Bit, Bit, Bit | = | Frase 8 |

(3) (6)   Esquivas   Patada lateral

| Bit, Bit, Bit, Bit | Bit, Bit, Bit, Bit | = | Frase 8 |

Dos rodillas   Dos rodillas

Posición de guardia (2) izquierda

| Bit, Bit, | Bit, Bit | Bit, Bit, Bit, Bit | = | Frase 8 |

(3) (6)   Esquivas   Patada lateral

| Bit, Bit, Bit, Bit | Bit, Bit, Bit, Bit | = | Frase 8 |

Dos rodillas   Dos rodillas

COMBINACIÓN 3

17

5 (A) Defensa baja de mano abierta
(B) Directo (2) al pecho
(C) Codo circular delantero
(D) Empuje con las dos manos
(E) Salto atrás
(F) Paso cruzado y al sitio

1

Posición de guardia (2)

Comenzamos con una posición defensiva baja con la mano abierta para lanzar un directo al cuerpo o cross.

3

Defensa baja

2

4

Directo (2)

6

Codo delantero

5

Empujón con las manos

Salto atrás

A continuación sorprendemos con un golpe de codo circular delantero y con la técnica especial del empujón y continuamos con un salto atrás defensivo que nos prepara ante un ataque del contrincante.

Los desplazamientos a derecha e izquierda son también técnicas defensivas que nos ayudan a llegar progresivamente a la posición final de guardia siempre preparados para un nuevo combate.

Desplazamiento cruzado a la izquierda

Esta secuencia del 7 al 14 del doble paso cruzado a ambos lados es muy propio y básico del Aeróbic, se realiza en lateral en 4 bit y regresas al sitio en otros 4 bit.

Desplazamiento cruzado a la izquierda

11

Desplazamiento cruzado
a la derecha

12

Como ya se ha mencionado en el texto anterior el paso se realiza abre, cierra, abre, cierra, a la izquierda y lo mismo a la derecha. Mantenemos los brazos en posición de guardia.

13

14

Podemos dar, si se quiere, más velocidad a este movimiento desplazándonos a doble velocidad o en chachachá, como se denomina en Aeróbic. Así incrementamos nuestro ritmo cardiaco.

DESARROLLO DE LA COMBINACIÓN 3 CON MÚSICA

6 Posición de guardia (2) derecha

| Bit, | Bit, | Bit, Bit | Bit, Bit, | Bit, Bit | = | Frase 8 |

| Defensa baja | (2) | Codo | Empuje | Salto atrás |

| Bit, Bit, Bit, Bit | Bit, Bit, Bit, Bit | = | Frase 8 |

| Cruzado lateral | Cruzado al sitio |

Posición de guardia (2) izquierda

| Bit, | Bit, | Bit, Bit | Bit, Bit, | Bit, Bit | = | Frase 8 |

| Defensa baja | (2) | Codo | Empuje | Salto atrás |

| Bit, Bit, Bit, Bit | Bit, Bit, Bit, Bit | = | Frase 8 |

| Cruzado lateral | Cruzado al sitio |

15

Posición final

LOS NÚMEROS
DEL AEROBOX

Ya hemos dicho que en el Aerobox utilizaremos nuestro propio lenguaje, y pondremos nombre a las técnicas que hagamos en la práctica denominando cada técnica con un número.

Hemos de tener en cuenta que al cambiar la guardia, lo importante no es dónde está la derecha o la izquierda, sino cuál es el brazo que está delante y cuál está detrás.

Con un poco de disciplina y aplicación podremos reconocer cada movimiento al instante con sólo saber u oír su letra o su número correspondiente, lo que facilita una práctica fluida y ágil.

VOCABULARIO DE PUÑOS CON NÚMEROS

TÉCNICA	LADO	NÚMEROS
PUÑO DIRECTO o JAB	Puño adelante	1
PUÑO DIRECTO o CROSS	Puño atrás	2
GANCHO	Adelante	3
GANCHO	Atrás	4
ASCENDENTE o UPPERCUT	Adelante	5
ASCENDENTE o UPPERCUT	Atrás	6

Ejemplos de combinaciones de Aerobox

Si queremos trabajar ciertas técnicas en una sesión y deseamos que no se nos olviden, apuntaremos las combinaciones que más nos gusten.

Ejemplo A: 1 – 2 – 3 – 6
Ejemplo B: 1 – 1 – 6 – 1
Ejemplo C: 5 – 2 – 3 – 6

EJEMPLO A

 Desde la posición de guardia vamos a lanzar un directo al rostro o jab visualizando la nariz del hipotético enemigo; a continuación, atacamos con un directo al cuerpo o cross girando la cabeza en dirección al puño.

Continuamos con un gancho al rostro encadenado a un uppercut a la barbilla.

Posición inicial de guardia (2)

1

Directo al rostro jab

2

Directo al cuerpo cross

En esta secuencia (A) haremos cuatro cambios o giros de cadera por cada técnica, esto nos ayudará para imprimir más potencia en la pegada.

6

Uppercut a la barbilla

3

Gancho al rostro

Posición final

RECUERDA

Antes de iniciar una coreografía es necesario acondicionar el cuerpo con el calentamiento que vimos en la primera parte del libro. Por supuesto, al finalizar la sesión también es conveniente hacer los ejercicios de estiramiento y tonificación. Eso supondrá un programa deportivo completo.

Posición de
guardia (2)

EJEMPLO B

2 Encadenaremos varios directos al rosto o jab derecho e izquierdo con un uppercout a la barbilla en una rápida secuencia de ataque que puede comenzar y acabar en la posición de guardia.

En el directo (1) haremos doble directo (1-1) con pegada, recogida y pegada rápida. Sería pues doble impacto como un latigazo al rostro para aturdirle.

1

Directo al rostro jab

6

Uppercut a la
barbilla

En el texto anterior mencionábamos el juego de caderas en las combinaciones. Tam importante como eso es el juego de los pies, el peso del cuerpo debe de estar sobre la punta de los dedos con los talones elevados, así, nos permitirá hacer los giros más rápidos acompañando a las rodillas y caderas, de esta forma evitamos una posible lesión de rodillas.

Importante el
movimiento
coordinado de
piernas y cadera para
volver a la posición
inicial y no perder la
compostura.

Posición final

1

Directo al rostro jab

Aquí hemos realizado el ejemplo de tres secuencias diferentes. Escogeremos entre los «números» combinaciones prácticas sencillas y elementales. Crea tu coreografía siempre visualizando antes lo que quieres trabajar.

Distancias cortas, medias o largas, de qué forma podría defender y contraatacar. No cargaremos mucho la misma parte, también podemos pensar cómo es un combate de boxeo, como mantienen la distancia y cómo rematan con el puño trasero, etc.

Más fácil imposible confeccionarnos nuestras coreografías haciendo las coreografías con números y con letras y si al tiempo tenemos un amigo podremos intercambiar hasta por un sms… (1-1) (2) (F) Salto.

Posición inicial

EJEMPLO C

1 Aquí hemos ofrecido tres ejemplos de cómo combinar las técnicas de puños, pero se pueden ir mezclando con las técnicas de esquivas o defensas de puño para hacer el programa más amplio y exigente.

5

Uppercut ascendente

La técnica de uppercut es un movimiento de abajo arriba manteniendo el puño a una cuarta de distancia de nuestra cara. Cuidaremos de no tener el puño cerca del rostro o nos podremos golpear nosotros mismos.

Prestaremos atención a la posición de los pies para no forzar las punteras ni hacia dentro ni hacia fuera. Eso nos ayudará a mantener el equilibrio y a evitar lesiones.

Directo al cuerpo cross

2

3

Recuerda que la intensidad y el nivel los vamos aplicando nosotros mismos, en la forma de movernos. Todas las técnicas las encadenamos con el baile del boxeador, delante, atrás, lado, lado, siempre sobre la punta o base de los dedos del pie.

Si queremos bajar el ritmo es cuesión de dar paso más estático, delante atrás y apoyando más las plantas de los pies.

6

Uppercut

Gancho

Posición final

GUÍA RESUMEN SECUENCIAL
DE AEROBOX

CALENTAMIENTO GENÉRICO

ZONA LUMBAR

Movimiento pélvico

Giro del tronco oblicuo

HOMBROS, BÍCEPS Y TRÍCEPS

Elevación de hombros

Giro de hombros

Extensión de brazos hacia arriba

Extensión de brazos al frente

Giros de brazos hacia arriba

Flexión y extensión de brazos

Extensión y flexión de brazos

MUÑECAS

Giros de muñecas

OBLICUOS

Oblicuos laterales en la zona media

Oblicuos laterales en la zona media

PIERNAS, GEMELOS Y TIBIAL

Elevación de rodilla frontal

Flexión de caderas y rodillas

Elevación del talón

Elevación de la punta del pie

PUÑOS

Directos

Ganchos

CINTURA

Uppercut o ascendente

Esquivas

Giro de tronco a los lados

Giro de tronco a los lados

PIERNAS

Elevación de rodilla frontal

Flexión de caderas y rodillas

BAJADA DE PULSACIONES

RESPIRACIÓN

Talones al frente y extensiones laterales de las
piernas

Balanceo de los brazos para toma de aire

TONIFICACIÓN

BÍCEPS

Flexión de codo

TRÍCEPS

Patada de tríceps

Fondos de tríceps en el suelo

Fondos de tríceps en silla

HOMBROS

Elevaciones laterales

PECTORAL

Aperturas con mancuernas

Pectoral en suelo (fondos) rodillas flexionadas

Pectoral en suelo (fondos) piernas estiradas

Pectoral en suelo (fondos) piernas estiradas

PIERNAS, GLÚTEOS Y ABDOMINALES

Sentadillas con punto de apoyo

Sentadillas sin sujeción y con peso

Lunges con agarre alterno/simultáneo

Lunges estático

ABDOMINALES

Abdominal inferior rodillas al pecho

Elevación lateral de la pierna

Giro de tronco oblicuo

Abdominal superior con elevación de tronco
frontal

ESTIRAMIENTOS

Abdominal isométrico

Aductor en flexión

Cuádriceps

Gemelos

Tibial

Oblicuo

Lumbar y espalda

Pecho

Tríceps

Bíceps

Espalda lateral

Cuello

Cuádriceps

Gemelos y sóleo

SESIÓN PRÁCTICA

Guardia

Directo

Gancho

Uppercut

Golpe de codo circular

Golpe de codo circular

ESQUIVAS Y DEFENSAS

Esquiva circular sobre directo

Parada frontal sobre puño

Defensa de mano abierta arriba

PIERNAS Y RODILLAS

Patada frontal

Defensa de mano abierta arriba

Pisotón

SP
613.7148 D542

Diaz Portillo, Francisco.
Aerobox
Vinson ADU CIRC
07/11